翼の害悪

朗
Akira Moriguchi

はじめに

そもそも「左翼」とは何でしょう。敗戦当初は、共産主義や社会主義を信じる人々が左翼と呼ばれました。しかし、世界がどんどん変わっていく中で、「共産主義が正しいと信じています」と告白する人はどんどん少なくなりました。そのせいで、誰が左翼か見分けにくくなってしまいました。今では、彼らの行動しか判断方法が無くなったのです。

昭和時代、左翼勢力は戦後の日本が国際政治の舞台に復活することを阻止しました。

平成時代、自民党にまで蔓延した左翼的思考が「失われた30年」の主要因になり、日本の経済力は停滞しました。

令和時代になっても左翼老人は生き続け、その害毒が益々日本をダメな国にしようとしています。彼らはいつか天に召されるでしょうが、彼らに教育され、左翼のウソに気づかない人々が日本の多数派となった今、日本は沈没しようとしています。この流れを止めることは難しいでしょう。それでも、日本人の多くが左翼のウソに気づくことで、ダメな国になるスピードを落とし、今の若者や少年少女が老人になる頃には、少しはマシな国になっていて欲しい。

本書はそんな思いで書きました。

それゆえ、本書では「日本をダメな国にする」「ダメになった日本を復活させない」ことを目的とする全ての思想、行動を広く「左翼」と呼ぶこととしました。

敗戦当初、日本は米ソの利害が一致する珍しい国でした。共産主義を信仰する人にとって「資本主義国家」日本の国力・国益を削ぐことは「正義」でしたから、国内に住む共産主義者達は「平和」「民主主義」「人権」「環境」「国際社会」など美しい言葉を利用して、日本の発展の邪魔をしました。一方、GHQの主役だったアメリカにとっても敗戦国日本の復活は阻止すべき事項でした。また、赤狩りをする前のアメリカには隠れ共産主義者が大勢おり、当然GHQの中にも存在したと言われています。それゆえ1945年以降の日本は、左翼とGHQの利害が一致する国だったのです。

ほとんどの日本人の無意識に潜り込み、判断を狂わせ、国益を奪う。それこそがGHQの洗脳であり、左翼の思考スタイルなのです。本書を読んだ後で多くの方々に、

「こんなところにまで、左翼の悪影響が及んでいるのか」

と気づいていただければ幸いです。

目次

第1章　ピンクだらけの日本

●ピンクだらけになった日本

ソ連が滅び、北朝鮮がろくでもない国だと分かり、中華人民共和国は発展したけれど経済面ではとっくに共産主義を捨てた一方で、共産党独裁政権が少数民族を迫害している。そんな真実の姿が明らかになった今、共産主義を信仰する人は、日本共産党支持者や大学付近に住み着く極左くらいです。令和時代に共産主義社会を理想と考える人は超少数派になりました。

しかし、18歳までは勉強したけれど大学に入って学ぶことをやめた左翼老人達は、自分が全て間違っていたと認めません。プライドが許さないのです。そこで、彼らは自分が信仰した共産主義は間違っていたかもしれないが、共産主義社会を実現するために叫んだ「平和」「民主主義」「人権」「環境」「国際社会」をネタにした反日活動は間違っていない、と思考スタイルを変えました。

平成時代は、「左翼」を赤（本気で共産主義社会を実現しようとする人々）から、ピンク（反日国家が喜びそうな主張を自覚なきままに信じる人々）に替えた30年だったのです。

人間を赤に洗脳するには多くの時間を要しますがピンクにするのは簡単です。反日思想家が、マスコミや行政、学会、教育界などに入り込み「共産主義」と明かさずに洗脳した結果、大多数の日本人がピンクになりました。それにより日本は世界から経済的に引き離される貧しい国になってしまったのです。

※ちなみに「ピンク」という言葉はアメリカ、ヨーロッパ、中国など世界中で使われているようです。ただし、中国では「共産主義の素晴らしさを理解せず無自覚のまま共産党や独裁政府に従う人々」を指す言葉で、微妙に他国と意味が違いますが。

●日本人がピンクになった理由

少し近代史を学べば、共産主義がろくでもない思想だという事実は誰にでも分かるはずです。それなのにどうして日本人はピンクだらけになったのでしょう。

第一に共産主義者は理想社会を造るためには大量殺人（暴力革命）さえためらわない人達なので、大衆にウソをつくのは平気かつ上手だったからです。学校教育で使われる「公民」「政治経済」「日本史」「世界史」などの教科書は今でもウソだらけです。「勉強」は、学問と異なり教科書に書かれている事は１００％正しいという前提で学びます。「勉強好きの学問嫌い」が多い日本人は、世界一洗脳しやすい民族でした。

第二に戦後、文系学問の多くが共産主義者に牛耳られ、師匠の主張を引き継がないと地位を継承できない日本文化の結果、世界中で共産主義を否定された21世紀になっても、日本だけが「共産主義者だらけの大学」が普通に存在する国になりました。これも日本が「遅れた国」になった大きな要因です。

第三に「平和」「民主主義」「人権」「環境」「国際社会」など綺麗な言葉をまとった共産主義者達のウソが人々の心を捉え、ウソを暴くだけで右翼扱いされる時代が令和になった今も続いているからです。

第四に共産主義者が振りまいたウソが、利権と合体してマスコミに溢れているからです。

第五に敗戦から日本が独立するまでの約7年間、積極的にGHQに従う人々が権力を握り、それが現在も続いているからです。

こうして左翼が振りまいた害悪は日本中に行き渡ってしまいました。そして、日本は治安が良く、親切な人が多く、働き者だらけなのに、全く経済発展しない「不思議な国」になったのでした。

●元々「左翼」とは何だったのか

自覚なく「平和」「民主主義」「人権」「環境」「国際社会」をネタにした反日的主張を振

り回す人を「左翼」と呼ぶと、「私は左翼じゃない」と反論されるでしょう。

　しかし、誰を「左翼」「右翼」と呼ぶかは時代や場所により異なります。

　元々は、フランス革命期の国会で王政を潰す側を「左翼」、王政を守る側を「右翼」と呼んだのが、この言葉のきっかけでした。これを現代の各国に当てはめるなら、王政を失った国の政治家は全員が左翼だし、王政のある国の大多数は右翼になってしまいます。なぜなら前者で王政を復活させようと明言する政治家はいませんし、王政が残る国で堂々と「王政は潰すべき」と主張する政党や政治家は超少数派だからです。エンペラーを有す唯一の国、日本でも皇室制度を潰すべきと平気で言うのは日本共産党くらいです。彼らでさえ皇室廃止は中長期的にであって、票を失いたくないのか「皇室を直ちに潰せ」とは主張しません。

　19世紀になると、社会主義者が登場し、彼らは株式会社が生産活動の中心になった経済システムを「資本主義」と名付けました。それから、「資本主義は潰すべき」と妄想する社会主義者を「左翼」、彼らの妄想を信じない人達が「右翼」と呼ばれました。つまり、現体制を潰そうとする過激な人が「左翼」で、イデオロギーという名の洗脳思想に毒されない穏健な人達が「右翼」と呼ばれたのです。当時の市民社会は制限選挙で、選挙権を有するのは多額な所得税を納税する人達で、多くは学も資産もあったので、左翼が力を持つことはありませんでした。

それを大きく変えたのが、二つの世界大戦とファシズム、ナチズムの登場です。

第一次世界大戦をきっかけに欧米諸国の多くは制限選挙から男子普通選挙に移行しました。これにより大衆社会が登場し、各政党にとって「無知・無教養な人々を如何に上手に洗脳できるか」が、最重要課題になりました。

『左翼商売』（育鵬社刊）でも書きましたが、ファシズムやナチズムは社会主義の亜流です。カール・マルクスが説いた共産主義（暴力革命を推奨した過激な社会主義）に対抗して、社会主義に白人至上主義や自国偏愛主義を足したのがファシズム、ナチズムです。第二次世界大戦は、共産主義国ソビエト連邦と国家社会主義（ナチズム）が支配するドイツがポーランドを侵略したのが始まりでしたが、途中で社会主義国の独ソが対立したせいで、結果は国家社会主義のドイツ、イタリアなど及びそれらの国々と同盟してしまった日本の敗戦という形で決着しました。

この第二次世界大戦の決着を最も喜んだのは、共産主義者です。自分達が理想とする共産主義国家が東ヨーロッパやアジアなどに沢山誕生しましたし、暴力革命が不可能だった先進国では、亜流の国家社会主義を「右翼」と位置付け「過激で嫌われる」役を彼らに引き渡すことに成功したからです。共産主義者にとって残念だったのは、ヨーロッパ諸国で起きたユダヤ人等への人権侵害が酷すぎて、国家社会主義を是とする「右翼」が西ヨーロッパでは極少数になってしまった事でした。

●ユダヤ人迫害の「ポーランド加担」を隠し続けた左翼

第二次世界大戦後、ヨーロッパ人は自分達のユダヤ人迫害を全てナチスという政党の責任にしました。しかし、ユダヤ人を迫害したのは国家社会主義政党（ナチス）だけではありません。ほとんどのドイツ人がユダヤ人を迫害しました。多くのヨーロッパ人がユダヤ人を迫害しました。ユダヤ人迫害はナチス・ドイツによる犯罪ではなく、ヨーロッパ人によって行われた人権侵害であり犯罪だったのです。

なかでも酷かったのが、ポーランド人によるユダヤ人虐殺です。ポーランドにある人口数千人のイェドヴァブネ町に住む非ユダヤ系のポーランド人は、ユダヤ人を見つけ次第連行しては、町の中央にある広場に追いやって暴行を加え、数百人を殺しました。これは1941年に彼ら自身が行った虐殺です。田舎町ですから、もちろん政府や政党の指示ではありません。ポーランド人はナチスにも協力的で、ガス室で有名なアウシュビッツがポーランドにあったためか、積極的に「○○はユダヤ人だ」と密告しました。これらの事実は、ユダヤ人が造った国家イスラエルではもちろん、欧州社会でも今では常識であり「ポーランド加担」という名があります（ただし、ポーランド国内ではこの言葉を使うことさえ許されません）。

しかし、ソ連サイドの一員になったポーランドで起きた虐殺は、ソ連内の虐殺や中華人民共和国内の虐殺同様、日本の小中高大すべての学校教育から隠蔽されました。令和になっても日本では隠蔽されたまま、独ソに侵略されたポーランドは純粋な被害者のように教えられます。

行き過ぎたナショナリズムや民族愛から生まれた虐殺を反省しない人達を「右翼」と呼ぶならば、ナチスだけに責任を押し付けるヨーロッパ人は全員「右翼」です。しかし、ヨーロッパの共産主義者達は、ヨーロッパ人の偽りを許容し、戦後も「ナチス」を是とする人達だけを「右翼」と呼ぶことに成功しました。そのせいでソ連が潰れるまで、西ヨーロッパに「右翼」は極少数しか誕生しなかったのです（共産主義国家が倒れてからは、ナチズムはユダヤ人虐殺を除けば共産主義よりはるかにマシだったため、東ヨーロッパで「右翼」が大量発生します）。

しかし、他民族を迫害どころか全く弾圧していなかった、日常生活における半島人や台湾人への差別しかしていなかった日本（このレベルの差別は欧米では21世紀になっても普通に行われています）では、偽「右翼」を造って、「ナチス・ドイツと組んだ右翼＝悪、ナチス・ドイツと戦った左翼＝正義」と国民を騙すのは簡単でした。

●在日朝鮮人やヤクザだらけだった自称「右翼」達

昭和時代に逮捕された自称右翼の多くは、在日朝鮮人やヤクザでした。これは、「右翼」を自称する人達が、裏金で偽装された集団だった有力な証拠です。

※21世紀に入りインターネットが発達したせいで「左翼」に対抗し、明治から敗戦までの日本を全肯定する困った人達が出てきたのも事実ですが（彼らは「ネトウヨ」と名付けられました）。

しかし、第二次世界大戦後の共産主義者の喜びは、親玉のソ連が崩壊した1991年に終了します。これにより東ヨーロッパ諸国は社会主義国をやめましたし、西ヨーロッパの各国共産党もこれ以上国民を騙すのは不可能と悟り共産主義の看板を次々と捨て去りました。ヨーロッパから赤が消えたのです。

赤が消えただけではありません。ヨーロッパ諸国の共産党は「〇〇社会民主党」などと看板を書き換えましたが、彼らに騙される人も少数だったようで、今では「〇〇社会民主党」も少数派になっています。

●赤も消えず、ピンクだらけになった日本

先進国で唯一、この流れに乗れなかったのが日本です。左に偏った日本のマスコミを利用すればウソはバレないと判断したのか、日本共産党はその名を変えませんでした。日本共産党以上にウソつきだらけだった社会党は「社民党」「民主党」「立憲民主党」と名を変え、今でも高齢者を中心に多くの国民を騙し続けています。それどころか、自民党まで社会主義的政策により高齢者にゴマをすり続けました。その結果が失われた30年です。

1991年にソ連が崩壊するまでの国際問題は、米ソ対立が中心だったので、米国に従順な(事実上の属国)日本は、政治的な強国にはなれませんでしたが、経済強国であることが許されました。しかし、米ソ対立がなくなり、世界の国々がライバル関係という「日常」に戻り、日本の停滞は米国を含む全ての国々の喜びになってしまったのです。

そんな時代になっても、共産主義者とGHQに騙された日本人の思考は進歩せず、相変わらず、

「第二次世界大戦は、敗戦国日本が全て悪かった（戦後日本の一貫した左翼メディアの主張です）」

「日本の封建的な文化や伝統のせいで、軍国主義日本が生まれた（これがGHQの主張でした）」

「日本が過ちを犯したのは、○○の点で遅れていたからだ（戦争直後はこのタイプの主張が日本で流行しました）」

「過ちを犯した日本は、他国の主張は何でも認めるべきだ（今も親中派、親韓国派、親北朝鮮派はこう言います）」

「遅れている日本は、他国の○○を見習うべきだ（国際機関大好き系の主張はこればかりです）」

といった主張が堂々と繰り広げられています。これが共産主義者やGHQの洗脳の結果です。

●「洗脳」を意識しよう

「左翼とＧＨＱからの洗脳」を意識するだけで、以下の思考は「右翼」ではないと理解できるはずです。

・巨大な世界大戦において、一方の国が１００％悪いなどありえません。第二次世界大戦を「アジアの解放を求めた正義の戦争（大東亜戦争）」とする当時の日本の主張は綺麗事ですが、広島・長崎への原爆や東京・大阪などへの焼夷弾で罪なき一般人を大量殺人したアメリカが正しいはずがありません。日ソ不可侵条約を破って日本に侵略戦争を仕掛けたソ連が正しいはずもありません。国際法を破り全く反省していない点では、米ソ（現ロシア）ともに日本よりも「ろくでもない国」です。

・日本の古い風習に不快なモノが多数あります。しかし、日本人の気力が欧米諸国民よりも強かった原因を日本の「封建社会」にあると考え、日本人の強靭な魂を潰すために日本の文化・伝統をことごとく否定したＧＨＱの「人種差別思考」を令和になっても信じる人は、無知・無教養です。

・戦前の思想が全て正しいとは思いませんが、ＧＨＱの焚書《ふんしょ》（戦後、約７千冊の書物が国民の目から遠ざけられました）を否定せず、それに協力した東大教授達を処罰せず、どんな本が葬られたかを研究すると、その研究をした人を「右翼」と排除する日本の文系学会の多くは腐っています。

・日中戦争における日本軍の責任がゼロとは思いませんし、日韓統合後の半島人への差別意識もあったと思いますが、それらは中国、韓国、北朝鮮のウソを認めて彼らに金を差し出す理由にはなりません。

・国際連合を始めとする国際組織を悪の巣窟とは思いませんが、日本に多額な金を出させておいて、第二次世界大戦後七十数年経っても日本を敵国扱いし反日主義を疑問に感じない様々な組織を、国際機関というだけで「正義」「善」と信じる人々は、国益を意識しない「あほ・バカ・間抜け」です。

全面的に賛成するか否かはともかく、これらの主張もアリだと思いませんか？　しかし、こんな主張をするだけで「右翼」扱いされるのが日本の現実です。今の日本の政治、学会、マスコミなどの感性が左に歪《ゆが》んでいるのです。それゆえ、本書では「資本主義」を否定する人や「第二次世界大戦の全責任は日本にあった」と主張する人だけでなく、不当に日本の伝統や文化を否定する人々、何でも欧米や中国・韓国の言い分が正しいと考え、それを日本人に強要しようとする人達も「左翼」と呼びます。

ただし、世界一長い皇室を有する日本では、ある時代の伝統や文化が次の時代の文化とぶつかることは多々ありました。本書では、日本の文化や伝統で今後の発展の邪魔になると考えるモノについては、厳しく批判しています。私自身は、意見が対立する時に最重視すべきは国益と考えるからです。

●「残念な国」からの脱出

平成30年間で日本はすっかり「残念な国」になってしまいました。

GDPは中国の半分以下になってしまいました。1人当たりGDPも多くの国に抜かれ、引き離され、今ではシンガポールの約半分になってしまいました。平均学力は中国人（中国4大都市や香港、マカオ、シンガポール）の遥か下になりました。世界に通用する大企業は激減しました。新型コロナのパンデミックが起きる前には、物価が安いからと中国人が大勢やってきて物を買いまくる国になりました。そんな中国人を喜んで迎える観光都市が多々あるのが日本です。その上、この状態を抜け出すべきと考える人が少数派です。

一方で、21世紀の日本が（今のところですが）20世紀の日本よりも住みやすくなったのは事実です。江戸時代のように細々と貿易だけで諸外国と付き合えるのなら、こんな日本も悪くありません。でも、21世紀の国際社会はそんなに甘くありません。今のところ、第三次世界大戦は起きていませんが、領土問題をかかえる隣国との軍事衝突は世界中で起きています。そして弱い国は負けます。世界に通用しなくなった企業は他国の資本に支配され、海外資本に支配された国は失業者だらけになります。経済的に貧しくなった国には、他国民が押し寄せ、物だけでなく土地まで他国民に買い占められてしまいます。

国際社会が厳しいからこそ日本は「残念な国」から脱却する必要があるのです。現代は、軍事だけでなく経済も情報分野も、いや健康問題、文化的対立や法規制さえ事実上の戦争状態です。

そう考えると、反日活動を正義と信じる左翼は、自身の目標を達成した令和時代の勝ち組です。「残念な国」から脱却するためには共産主義、社会主義といった彼らの思想だけでなく、彼らが振りまいた「平和」「民主主義」「人権」「環境」「国際社会」などに関する事項を、一つ一つ日本の発展のために利するか邪魔になるかという視点で考察しなおすべき時代になったのです。

●様々な分野に広がるピンク

赤い自覚のないピンクの主張は、政治の世界を超えて、私達の日常生活にも溢れています。食べ物の世界の左右を指摘したのが『フード左翼とフード右翼』（速水建朗著　2013年朝日新書）でした。出版社の傾向から典型的な保守派叩きかと予想しましたが、その予想は外れ、どちらかと言うと普通の食事やそれを気にしない人達を庇《かば》う本でした。

フード左翼（速水氏が命名？）が愛する食事や食事スタイルは、「自然食」「ベジタリアン」「有機野菜」「ビーガン」「スローフード運動」「ミネラルウォーター」「地産地消」「マクロバイオテック」など意識高い系の人達が愛するモノです。

一方、健康問題を気にしすぎない人が愛する、あるいは平気な「メガフード」「ジロリアン」「遺伝子組換え作物」「牛丼つゆだく」「ファストフード」「水道水」「B級グルメ」

「ジャンクフード」などが「右翼」という位置づけでした。

怪しげな主張を信じる人達に「フード左翼」と名付ける所までは納得ですが、それを気にしない普通の人を「フード右翼」と名付ける所が、いかにも左翼出版社から出た本と思いましたが、この本の評価すべき点は「フード左翼」の方が非科学的と指摘している点です。

残念なのは著者が未だに他分野では左翼の方が「科学的」と信じている点です。

現代から見れば極めて非科学的だった19世紀に生まれた思想全体を21世紀になっても「科学的」と信じる人は、全員「非科学的」です。そもそも思想は「科学的」である必要などありません。なぜなら、科学は毎年、毎月、毎日進歩しているからです。昨日まで科学者の多数が「正しい」と信じていた事実が間違いだったと証明される。それが科学の世界です。

あ、「科学」ではなく、「科学的」でしたね（笑）。だったら、今日言っていることを明日「私たちの主張は間違いでした。○○という事実が明確になったので訂正します」とする姿勢が最も「科学的」と言えそうです。

「昨日まで北朝鮮は正しいと信じていました。でも彼らは他国の人を拉致する国だったのですね。もう、社会主義が正しいなんて妄想は捨てます。あんな国を創った共産主義こそ最低の思想でした」

「昨日まで中華人民共和国が正しいと信じていました。でもあの国は平気で少数民族を虐殺する国だったのですね。もう、社会主義が正しいなんて妄想は捨てます」

こういった姿勢こそ「科学的」だとすれば、左翼老人達には是非とも「科学的」になってほしいものです。

●フード左翼も社会の邪魔

政治の世界と同様、食物の世界でも左翼は日本社会の邪魔をするようです。それを世間に示してくれたのがヤマザキパン発言でした。

山崎製パン株式会社は、「大規模災害の発生に際して、被災地への緊急食糧の供給を行うことは、食品企業としての当社の社会的使命と考えてい」るそうです。その趣旨は企業のHPにも書かれていますし、事実、東日本大震災では、地震発生翌日に60万個ものパンを被災地域に供給しました。

山崎製パン株式会社のこの姿勢は、東日本大震災のような巨大災害だけでなく、毎年起きるレベルの自然災害の際も貫かれています。２０２２年8月3日に起きた、東北地方から北陸地方を集中的に襲った豪雨では、被災者が避難した公民館など6カ所にそれぞれ数百個のパンを供給し、それがニュースになりました。被災者からは、

「一人暮らしで、どうすればいいか分からず、何も持たずに避難所に急いで来ました。翌日、水が引いてから、近くの銀行やＡＴＭに行ったけど、どこも壊れていて、お金が下ろせないでしょ。食べ物もなくて、困ってたら『山崎製パン』の方がたくさん差し入れしてくださって、本当に助かりました。嬉しかったですね」

「家に帰っても、水道が止まっているから料理できないの。自宅の中も泥だらけで、それどころじゃないしね。でもここには、いろんな種類のパンを持ってきてくれたからね、安心できるよ」

といった声があがったそうです（2022/8/6 yahooニュースより）。

この山崎製パン株式会社の姿勢に因縁をつけたのが、福岡市にあり自然食を売りにするフード左翼系の某飲食店でした。彼等は山崎製パン株式会社の行為を、

「迷惑なお節介で、売名だと思います。体力、気力を奪われる災害現場で、空腹感を一時的に凌ぐだけで、むしろ体力、気力を削ることになる添加物まみれの超加工食品。これで

称賛を浴びる山パン…よくできてます」とツイートしたのでした。

しかし、フード左翼はツイッターの世界では少数派だったのでしょう。彼らの思いとは逆にこの飲食店を叩く人達で炎上してしまいました。残念な左翼がバカにされ、叩かれる。政治の世界も早くこうなって欲しいものです。

●服を捨てさせない「衣料（クロス）左翼」

日常生活における左翼に話を戻すと、フード左翼以上に影響が大きく、質の悪いのが「衣料（クロス）左翼」です。

最近、左翼系の首長がいる自治体で、服を「燃えるゴミ」ではなく「服」として出すよう指示しているのをご存知でしょうか。では、服はその後、どうなるのでしょう。2021年にいくつかのメディアで取り上げられましたが、これらはアフリカや南アメリカなど貧しい発展途上国に送られ、そこに住む人々に無料（または超安価）で配られ、それでも余った衣料は、送付された国のゴミとして焼かれて埋められます。

どうして、こんなバカバカしいことが行われているのか。ＳＤＧｓという名の綺麗事が、世界を支配しているからです。古着の多くは、先進国から発展途上国に送られるのですから「貧困をなくそう」「人や国の不平等をなくそう」という建前と一致していますし、自国でゴミとして焼くとCO_2が出るので他国にゴミを押し付けてCO_2量を減らせば「エネルギーをみんなに、そしてクリーンに」にも合致します。衣料廃棄は年間９２００万トン前後発生しているので、少しでも焼かずに済めばこんな嬉しい事はありません。

ただ、現実に日本や欧米などから送られる古着は破損したモノや、カビが生えたモノも少なくないそうです。

●大笑いする中国

古着の輸出入で誰が笑っているのでしょう。無料で衣料を獲得できる発展途上国の人達でしょうか。CO_2排出量を削減できる先進国でしょうか。それらもゼロではありませんが、これにより圧倒的に利得しているのは中国です。

衣料製造などの軽工業は、戦後の日本経済復活に大きく貢献しました。戦争直後の日本人は、女性はもんぺ姿、男性は国民服や復員服が大半でしたが、やがて女性のスカート姿、男性のワイシャツとズボン姿が広がり、１９４９年には、洋裁学校は全国で２０００校、生徒は約20万人にのぼったそうです。しかし、衣料製造のような軽工業は人件費の占める割合が高いために、高度経済成長期になるとアパレルメーカーは工場を日本から人件費の安い中国へと移転させました。

それから50年の月日が流れ、今では中国は日本の3倍近いGDPを生む国になり、人件費も平均的には決して低い国ではありません。しかし、少数民族を安い賃金でこき使い、軽工業を他国に移す気配がないのです。古着を送られ最後はゴミとして埋めている発展途上国は、中国よりもはるかに人件費の安い国です。どこのブランドの下請け工場になるかは不明ですが、普通なら中国からそれらの国へと軽工業は移っていったでしょう。

でも、毎日、無料（または超安価）で服が届き、余ったらゴミとして処分する国で、衣料製造業が発達するでしょうか。するはずがありません。その結果、重工業はもちろん、最先端の情報産業も日本を抜き去り、アメリカのライバルになろうとする中国が、軽工業も手放さずにいられるのです。

図表1は、NHKが古着の輸出入を社会問題として取り上げた際の図です。この図からは、ゴミ処分に困るアフリカも、それで利権を得る中国も見えません。これこそNHKの体質を表しているのではないでしょうか。

図表1　NHKウェブニュースで報じた古着の輸出入国

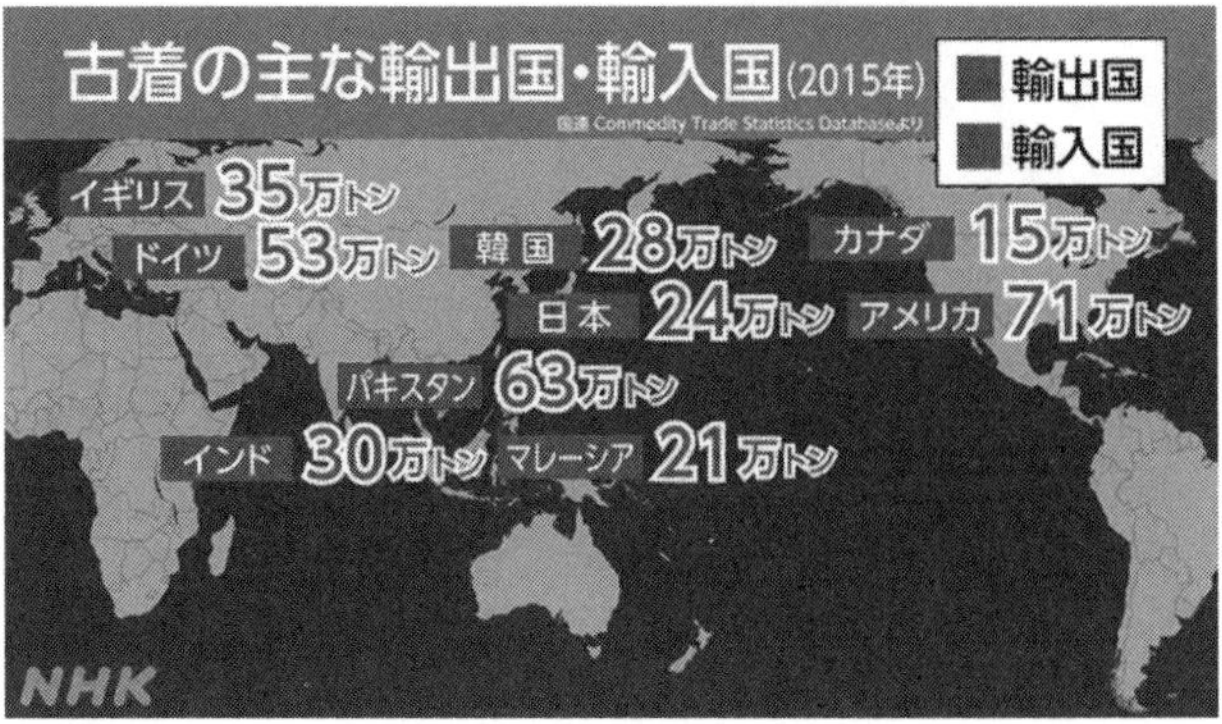

2022年2月18日

●5円払うたびに「環境左翼」を思い出そう

地球レベルで考えると最低なのは「衣料（クロス）左翼」ですが、私達の日常生活を不愉快にするのは自民党に住む「環境左翼」です。

自分の買い物袋を持たない人は、スーパーやコンビニで買い物をするたびに2～5円のお金をポリ袋代として払わされています。しかもお金を払うたびに、

「買い物袋はお持ちですか」

「○○円かかりますが、よろしいでしょうか」

と丁寧な言葉ではありますが、「環境意識の低い人」のような扱いを受けてしまいます。

どうか、スーパーやコンビニで数円払わされるたびに図表2の円グラフを（次ページ参照）思い出してください。ポリ袋に数円の支払いが

図表2　日本の海でのゴミ

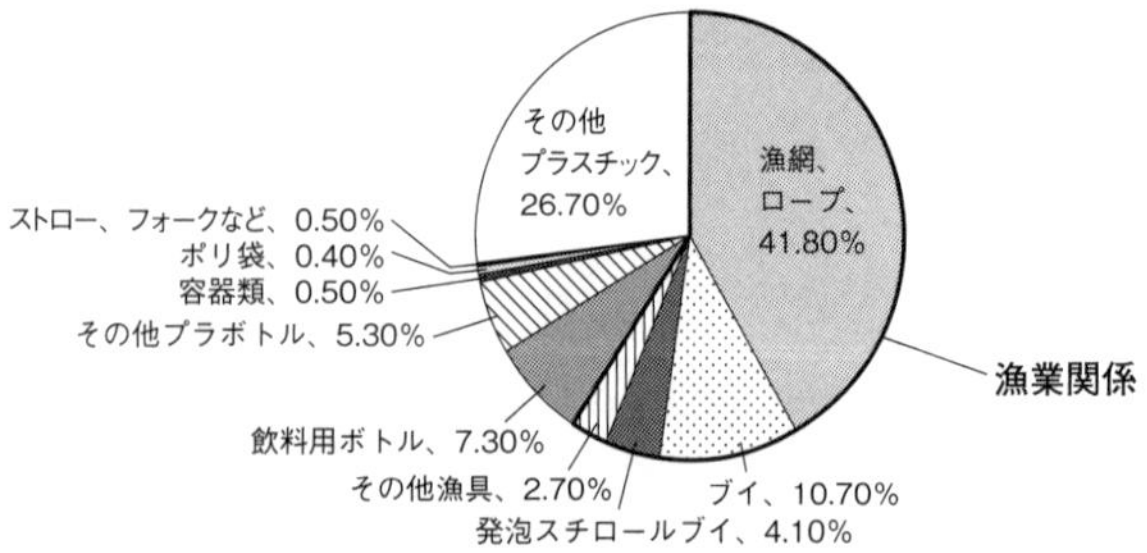

環境省資料を基に２０２０/10/14に作成された
(https://yaablog.ｃｏm/technology_biodegradable-plastic_news_kurare/　より)

義務化された時には、ポリ袋に苦しむ海洋生物がネタに使われました。日本人1億2千万人の中には平気でポリ袋を海に捨てる人も極少数はいたのでしょう。何億か何兆か存在する海洋生物の中には、日本人が捨てたポリ袋の犠牲になった生物もいたのでしょう。

でも、島国日本の界隈の海で見つかるプラスチックゴミの中でポリ袋が占める割合はたったの0・40%です。4割は漁業関係者から（おそらくは）不法投棄された魚網やロープです。これに海水浴などで見るブイを足すと5割を超えます。プラスチックのボトルも飲料用とその他を足すと10%を超します。しかし、これら業者から捨てられるゴミは不問でした。

さすがは利権売国奴が大勢住む自公政権です。

日常生活に疑問をもたせ、偏った意見で洗脳し、「意識高い系」を育成するのが、「環境左翼」のいつもの手口です。30年前には、割り箸に不信感をもたせ、自分の箸を持ち歩く「意識高い系」の育成が流行しました。その後、「割り箸は間伐材を利用して作るので環境に悪くない」という意見が広がり、箸を持ち歩く「意識高い系」はいなくなりましたが、実際に日本の間伐材を使うのは超高級な割り箸だけで、多くは中国からの輸入品でした。「日本への輸出が減るだろう」「俺たちの儲け話を潰す気か！」と中国企業から環境左翼に圧力があったのかもしれません。

私達がポリ袋を使うたびに2～5円を支払わされることで、誰が得をするのかは不明ですが、小泉進次郎氏が環境大臣だった時に、主犯業者を問わず、国民に不当な負荷を課した事実だけは、全ての人に忘れないでいただきたいのです。

●悪意なきペット左翼

社会主義を言い出したのは金持ちでした。今も小金持ちに共産党や立憲民主党の支持者は少なくありません。人は豊かになると利他的行為への欲望が増すので、ある程度左派になるのは仕方ありません。アメリカでも小金持ちの多くは民主党支持者です。左派の行為でご自身が幸福になれ、他者に迷惑にならないのならば、利他的行為をやり続ければ良いと考えますが、自分の欲望を正当化するあまり他人にもそれを押し付けるのは、明らかに間違いです。その典型が悪意のないペット左翼です。

欧米人は日常的に「ペット左翼」の過ちを犯していますが、その数倍も愚かなのは「欧米人＝進んでいて正しい」「日本人＝遅れていて間違っている」と主張する日本人です。

本書では、この後も「○○左翼」を紹介しますが、最も愚かでバカバカしいのは「ペットは家族だ」と大声で語る「ペット左翼」です。その考えが悪いのではありません。私も猫が好きでキャットカフェに年に数十万円使ったこともありましたし、飼ったら家族よりもベタ可愛がりになると思います。なので「ペットは家族だ」という感情はよく分かります。

愚かなのは、その感情や考え方を他人に押し付けることです。

言うまでもなくペットはペットです。だから日本ではペットショップで買えるのです。ところが「ペットは家族だ」という主張の強い欧米諸国の多くでは、生後間もない犬猫を店頭に並べる行為は「虐待」とみなされ、違法行為になります。

欧米人ってなんと「綺麗事」が上手なんでしょう。彼らは生体販売より用品販売の方が長く利益が生じることに気づいたのでしょう。犬や猫は平均で15年前後生きます。その間に毎日ペットフードを食べ、毎月トリミングを利用し、「家族」ですから病気になれば高額な動物病院を利用します。その結果、落とすお金は生体販売の比ではありません。

もちろん、「ペットは家族」思想には「貧乏人にペットは飼えない」という決定的な弱点がありますが、貧乏人相手には福祉や寄付で彼らの利他的行為欲望は満たされているので、知ったことではないのでしょう。小金持ちがペットを家族と思い、高級な餌を与えて、病気に高額医療で対処するのは彼らの勝手です。しかし、貧しい人だって犬猫を飼ってもよいはずです。なぜなら、かつてはどんなに貧しい人でも、ホームレスでさえペットを飼えたのですから。

●獣医師が「お医者様」になる

日本において現在の獣医学の教育が始まったのは、1878年の駒場農学校（現在の東大）と札幌農学校（現在の北大）でした。両校の教授は西洋人で、彼らの教育を受けた人が1885年に公布された「獣医免許規則」により獣医師になります。当初は専門学校しかありませんでしたが、1890年には東京大学の獣医学科が設置され4年制の獣医学教育も始まりました。その後、各地の農学校に獣医科が設けられましたが、基本的には専門学校で獣医学教育が行われたそうです（当時は、人間を診る医師も多くは専門学校卒ですから当然です）。

戦後、ＧＨＱの圧力により中等教育の多くが大学となり、なかでも医学部と歯学部は6年制に移行しましたが、農学部獣医学科は4年制のままで、難易度も他学部に比して高くはなかったそうです。これは、戦争直後の日本は今ほど肉を食べなかったので家畜頭数が欧米よりはるかに少ない上に、軍馬を診るのが仕事だった軍人獣医師が軍部解体により政府に解雇され、獣医師数が余っていたという事情がありました。

獣医師は、農業に付随する産業で、医療の対象は家畜で、需要（家畜数）に比して供給（獣医師数）が多すぎた。そのため加計学園が新設を認められるまで、戦争直後の17校（国立11校、私立6校）から増えず、獣医師になる人もほとんど男性だったのです。

この動きを大きく変えたのが、欧米の「ペットは家族」という考え方の流行でした。歴史を知らない方が「獣医師」と聞けば、文字通り自分達が愛するペットの「お医者様」で人気学部の1つになりました。獣医師になるためには6年間の教育が必要で女性率も5割近い、かつての獣医師が見たら別世界になりました。

●「欧米の小金持ち」＝「意識高い系日本人」

「ペットは家族」と言う概念は欧米由来ですが、欧米人が皆、そんな「綺麗事」を信じている訳ではありません。南欧に行けば、昭和時代の日本（サザエさんの漫画の中）のように犬猫は普通に街を歩いています。イタリアでは、ローマ大学に勤務する女性が、病気になった愛犬の面倒を見るための有給休暇を訴訟経由で勝ち取りました。その一方で夏のバカンス時期には、毎年数十万匹の犬猫が路上などに捨てられているそうです（https://catfood-study.com/catfood/italy.html　より）。

病気になったからと医師に診てもらえる犬猫も少数です。獣医大は、イギリス6校、フランス4校、ドイツ6校、イタリア10校、スウェーデン1校、ノルウェー1校、オーストラリア5校、アメリカ27校、カナダ4校しかありません。欧米人の肉食量を考えれば、これは今でも、獣医師に占める家畜専門医が主流でペット専門医など少数派の証拠です。

また、社会保障が売りの北欧諸国でもペットは社会保障の対象外です。となればペットに医療を受けさせるためにはペット保険に加入しないと厳しいはずです。しかし、スウェーデンを除けば、そんな人は少数派に過ぎません（スウェーデン50％、イギリス25％、ドイツ及びアメリカは一桁％）。

日本のペット保険加入率は、歴史も浅く、まだ10％程度のようですが、「ペットは家族」思想を押し付ける「意識高い系」の「まだペット保険も入ってないの」「それじゃ飼い主とは言えないね」といった声が大きくなると、この数値は上がりそうです。ちなみにペット保険はスウェーデンでは１９２０年代、イギリス１９４０年代、アメリカ、ドイツ１９８０年代、日本１９９０年代から保険が開始されたそうです。

（https://www.recheri.com/articles/940/ より）

欧米の小金持ちの「綺麗事」を、日本人の「意識高い系」が仕入れて、それを国民全体の義務にする。そうならなければ良いのですが。

小金持ちは、犬猫を屋内で家族のように扱い、高級な食事を与えているけれど、庶民は、犬を犬小屋で飼い、猫にはご飯と鰹節を混ぜた「猫ご飯」を食べさせる。そんな風景が令和時代にも残ることを祈っています（すでに東京では「犬小屋飼い」「猫ご飯」は少数派です）。

●ＵＭＡ（未確認生物）が存在したイギリス

ペットをめぐる欧米人の「綺麗事」が如何に不道徳かを実感させるのが、イギリスにいたUMA《ユーマ》（未確認生物）であるエイリアン・ビッグ・キャットです。イギリスのUMAというとネス湖に住む恐竜ネッシーが有名ですが、こちらは、どこにでもある「大きな魚を見た時の錯覚」と「観光業界が儲けるために振りまいた噂」を掛け合わせたモノでしょう。多くの人々が、インターネットで情報収集し、コンピュータで分析できるようになったお陰で、UMAの多くが「勘違い」と「商売」の掛け算に過ぎないと明らかになりました。

ところが、イギリス人を騒がせたエイリアン・ビッグ・キャットは実在しました。エイリアン・ビッグ・キャット（以下ABCと呼びます）はヒョウやピューマといったネコ科動物に似た外見を持ち、家畜を襲うなど獰猛《どうもう》な気性の生物とされていました。SFマニアの間では「ABCは他のネコ科動物と異なりテレポート能力がある」として今でもUMAとして人気がありますが、専門家の間では、ABCは逃げ出したネコ科猛獣というのが常識になっており、現実にABCとして捕獲された動物もピューマやヤマネコでした。

イギリスの自然にピューマやヤマネコはいません。何故、そんなネコ科猛獣がイギリスで捕まるのか、それはイギリスで猛獣をペットにするのが流行し、ペットに飽きたら捨てる人が少なくないからです。1960年代にはヒョウやチーターを犬のように連れて町を歩くのが流行していたそうです。今では猛獣をペットにすることは禁じられていますが、法を平気で破る人の率が日本とは桁違いなのが欧米人です。ABCを見たという証言は、イギリスだけでなくオーストラリア、アメリカ、カナダなどイギリス系の白人の多い地域にもあります。

ちなみに「エイリアン」という言葉は、地球外生命体だけでなく「本来その地域にいない生命体」を指すときにも使うそうで、だから捨てられたネコ科ペットと分かった今もビッグキャットの頭にエイリアンと付けても間違いではないのだとか。そう考えるとイギリス系白人こそが、地球最大、最強、最悪の「エイリアン」ではないでしょうか（笑）。新大陸やオーストラリア大陸に住むエイリアンが全員イギリスに帰れば、地球は今よりも平和になるはずです。

●日本人を獣扱いした欧米人

日本の学校教育では隠蔽されてますが、日本人奴隷の獲得が、戦国時代に日本にやってきた欧米人の目的の一つでした。日本にたどり着いた頃の欧米人は、ほとんどの民族を奴隷売買の対象、つまり商品としており、商品の中でも勤勉でモラルの高かった日本人にはトップレベルの価格が付いたそうです。当時、高価な日本人を奴隷にしたのはポルトガル系の富裕層が多く、ポルトガルのアジア拠点だった澳門《マカオ》では、多数の日本人奴隷が使役されていたことがわかっています。

欧米の大航海時代、日本が中世から近世に移る時代の話をするな、と思われるでしょうか。

しかし、欧米諸国が近代国家になった後も、日本人は奴隷売買の対象でした。明治国家の第20代内閣総理大臣だった高橋是清も一時期はアメリカ人の奴隷でした。彼の父は幕府御用絵師ですが、彼自身は庶子だったので、生後間もなくして仙台藩足軽の高橋家に養子に出されます。

ヘボン式ローマ字で有名なヘボン博士の塾で英語を学び、１８６７年藩命によりアメリカに留学します。しかし渡米の手配を頼んだアメリカ人貿易商ユージン・ヴァン・リードに学費や渡航費を着服されます。更にホームステイ先の貿易商に騙されて、「年季奉公の契約書」にサインさせられ、オークランドのブラウン家に売り飛ばされます。

ちなみに、彼を奴隷にしたユージン・ヴァン・リードは、後に駐日ハワイ総領事となり、明治初期に「日本人を初めてハワイに移民させた」ことで知られています（駐日ハワイ総領事だったことは、大学の日本史学科で平気で教えられているようです）。

●正しいピンクの在り方

ここまで様々な「○○左翼」＝ピンクを見てきました。

私は19世紀の社会主義者を否定するつもりはありません。国民の大多数が貧乏人だった時代、農業が不作になると貧乏人が飢えた時代、貧乏人が1日に12時間以上働く必要があった時代、「社会主義」を妄想した金持ちには「良い人」が多かったはずです。

20世紀にそれらの思想を利用した暴力革命が起き、その国の支配者達が権力を独占し、多くの国民を虐殺し、今でもその思想を捨てない国が存在する21世紀になっても「社会主義」妄想を捨てない日本人は、無知・無能か良心がないか、その両方だと考えるだけです。

では「社会主義」妄想から派生した主張は全て間違っているのでしょうか。そうとは限りません。元は恐ろしい思想でも、そこから派生した「考え方」「事業」「道具」「技術」などが役に立つことは多々あります。その典型はナチス由来の「高速道路建設」「オリンピックの聖火リレー」「政府による少子化対策」などでしょう。

大切なのは「その主張が多数派になることで誰が得をするか」を考える姿勢です。とりわけ、それによって反日国家や欧米利権、彼らと呼応する国内の左翼や売国奴が得をしないか、それを常に考える姿勢こそが大切ではないでしょうか。

第2章　陰謀論を信じるバカと信じないバカ

●陰謀論を全否定するバカ

陰謀論という言葉は昔からありましたが、最近、人を「ウソを信じるバカ」扱いする時に「陰謀論」という言葉が頻繁に使われるようになりました。どういう主張に「陰謀論」という言葉を使うかは人によって異なりますが、①明確な証拠がなく、②自分達が真実だと認めたくない、③刺激的な主張、に対して使われることが多いようです。

陰謀論の多くは真実不明のまま消えていくのですが、なかには「陰謀論」と批判された主張が真実だったと明らかになることもあります。その典型は、北朝鮮の金正日が認めるまでの「北朝鮮による日本人拉致」でしょう。

1991年にソ連が崩壊し、先進国から共産主義者が消えていく21世紀になっても、左翼だらけだった日本では「北朝鮮による日本人拉致」を主張するだけで「陰謀論」を信じるバカ扱いを受けていました。日本政策研究センターの『拉致事件を放置した政治家・外務省・言論人』には、当時の左翼の言論を保管してくれています。

「横田めぐみさんの拉致事件が明るみに出た平成九年には、社民党の機関誌『月刊社会民主』にはこういう論文が掲載されている（同誌七月号・北川広和「食糧支援拒否する日本政府」）。

『拉致疑惑の根拠とされているのは、つい最近、韓国の国家安全企画部（安企部）によってもたらされた情報だけである』『産経新聞に掲載された元工作員の証言内容に不自然な点がある』。従って『拉致疑惑事件が安企部の脚本、産経の脚色によるデッチあげ事件との疑惑が浮かび上がる』。『二〇年前に少女が行方不明になったのは、紛れもない事実である。しかし、それが北朝鮮の犯行とする少女拉致疑惑事件は新しく創作された事件というほかない。……拉致疑惑事件は、日本政府に北朝鮮への食糧支援をさせないことを狙いとして、最近になって考え出された事件なのである』」

この文章が出た１９９７年（平成９年）には、自分をインテリと勘違いする左翼が今以上に沢山いました。彼らは、自分と意見が異なるだけで、相手の主張に明確な証拠がないだけで、その主張を「陰謀論」と決めつけていたのです。私は、よほど非論理的でない限り、相手の主張、とりわけ政治的主張には一度は耳を傾けるべきだと考えます。そのうえで否定するならば、自分の主張の方が「より論理的」「有力証拠がある」「自分が信じる正義（国益、弱者保護など）に相応《ふさわ》しい」といったことを示すべきでしょう。そういった試みもせずに相手の主張を「陰謀論」と決めつけて聞こうともしない姿勢は、愚か以外の何物でもありません。

相手の主張を「陰謀論」で一刀両断する愚かな姿勢は今も続いています。

●損する可能性99％の「儲け話」は詐欺？

陰謀論全否定の愚かさを身近な例に置き換えて考えてみましょう。

よほど生まれ育ちが素晴らしい方を除けば、知り合いの一人や二人に「平気でウソをつく人」がいるのではないでしょうか。そんな人が「あなたにだけ教えてあげる」と言って「儲け話」を持ってきたら、どう思われますか。十中八九「詐欺」だと考えるのではないでしょうか。でも、なかには「そんな美味しい話、乗らない方がもったいない」と、その儲け話を信じて大損をする人がいます。

では、その儲け話は詐欺罪（刑法第２４６条）に該当するのでしょうか。

捕まる人もゼロではありませんが、儲け話を持ってきた人の多くは何の罪にも問われず、次の獲物を探して経済活動を続けています。サプリメント、化粧品、キッチン用品、家電、洗剤などを使って行われているアメリカ由来のマルチ商法（法的には「連鎖販売取引」と言います）はその代表です。

２０２２年の沖縄・宜野湾市議選で当選したプリティ宮城ちえ氏は、これとは別の違法なマルチ商法に関与していたのですが、公認したれいわ新撰組の山本代表は、これについて「マルチ商法というのは、この国において違法ではない」、彼女も「損失をこうむった。被害者のひとり」と擁護する発言をしています。彼女がれいわ新撰組から出馬した事実は、「弱者保護」と偽り国民を騙す左翼と「儲け話」で人を騙すマルチ商法が、似た思考タイプである有力な証拠でしょう。

マルチ商法ほど酷くはありませんが、新築ワンルームマンションも令和時代に99％損をする「儲け話」の典型ですし、小金持ちの家に通う証券会社の営業マン、多額の退職金をもらった客の「相談にのる」保険営業マンや銀行員など大企業社員の中にも９割がた損をする「儲け話」を仕事とする人はいます。でも、詐欺罪で捕まる人はいません。

彼らの言い分を素直に聞く人と疑ってかかる人。どちらが愚か者でしょう。その答えはここでは書きませんが、

「あんないい人の話を詐欺扱いするなんてひどい。大企業が悪いことをするはずないじゃない！」

と大声で言う人がバカだとは断言できます。

国際レベルの陰謀と、個人の経済活動レベルの「美味しい儲け話」は基本的に同じです。

歴史上、陰謀が暴かれて陰謀者が処罰された例は極少数ですし、「美味しい儲け話」で他人に損をさせた人が詐欺罪に問われるのも極少数です。ですから「美味しい儲け話」に注意するのと同じように、国連や政府、自治体やマスコミの「空気づくり」に注意すべきなのです。規模の大中小はあれども、残念ながらこの世は「陰謀的な世論づくり」や「詐欺的な経済活動」だらけなのですから。

●政治家は清濁併せ飲む？

世界も日本も陰謀で溢れています。古今東西、陰謀のない時代などありませんでしたし、今後もないでしょう。

では、陰謀に成功して支配者になった人が、

「ボクはこんな陰謀を企み、成功したので支配者になりました」

と教えてくれるでしょうか。教えるはずがありません。また、支配者が陰謀を潰した時も「これは被支配者層＝国民に知られない方が良い」と判断すれば、潰した陰謀を闇から闇

に葬るでしょう。

社会で大物になるためには「清濁併せ飲む」姿勢が必要だと言われるのは、社会に「濁った」陰謀が溢れているからです。

現代日本の政治家に「清濁併せ飲む」人がどのくらいいるのかは知りませんが、汚れ、濁ったモノを平気で飲む人がいる事だけは確かです。私の知る某政治家は、出来の悪い自分の息子を裏口で大学入学させました。その後は、自分が力を持つ県の短大に事務員として就職させ、なぜか研究能力はゼロなのに准教授にまで押し上げました。彼が政治家を引退しなければ、いや、引退しても息子さえ何もしなければ、息子はそのまま教授になったでしょう。しかし、その政治家は引退し、息子は犯罪で捕まり教授にはなれませんでした。息子が犯罪者になってからも、政治家は日本を綺麗にするといった趣旨の本を出版し、テレビや新聞などのメディアに出て綺麗事を発言し続けました。

政治家だけが腐っていたのではないと思います。日本には裏口入学できる大学が（実は多々）あり、有力政治家に要求されれば県立大学に採用する腐った自治体があり、学術的成果がない人を准教授にする腐った教授集団があるからではないでしょうか？　息子が捕まった際に、某政治家は引退していましたが、総理に次ぐポストまで務めた彼が現役だったら息子は捕まらなかったでしょう。それほど警察や司法も腐っているのが日本の現実です。

清濁の「清」が日本の支配者層の心に残っていることを祈るのみです。

●正直者だった辻元清美氏

マルチ商法を庇うのも、息子を政治力で大学教員にしたのも彼らが政治家になってしまったからかもしれません。彼らも、その仕事に就く前は自分の心に正直でした。例えば辻元清美氏です。彼女は、昭和62年3月に出版した著書『清美するで!!新人類が船を出す!』(第三書館)で皇室について、

「生理的にいやだと思わない?ああいう人達というか、ああいうシステム、ああいう一族がいる近くで空気を吸いたくない」

「天皇っていうのも、日本がいやだという一つの理由でしょ」

と、自分の気持ちを正直に語っていました。

当時の彼女は大学を卒業したばかりでしたが、その後、故土井たか子氏(北朝鮮が日本人拉致を認めた後も、その真実を認めようとしなかった社会党党首)の秘蔵っ子として政

界に進出してしまいます。それからは、秘書給与流用事件を起こし、警視庁捜査二課に逮捕されて詐欺犯になってしまいました。

詐欺犯となった辻元清美氏は、今では「皇室を潰そう」と言わないどころか、「皇室は大切」的な発言をするようになりました。大学卒業時に皇室を「生理的にいやだ」と言っていた人が、北朝鮮が認めた拉致を認めなかった極左の秘蔵っ子として政治家デビューをした人が、詐欺で有罪になった人が発した「皇室を大切にしよう」という言葉をあなたは信じますか？

私は、彼女の「皇室を大切にしよう」系の発言は、すべからく皇室を潰すための陰謀だと思います（この主張には決定的な証拠がないので、これも「陰謀論」です）。

●日本最大の陰謀は皇室廃止

現在、元詐欺犯・辻元清美氏は皇室についてどんな発言をしているのでしょう。

「議論が十分でないと思うのは『女性宮家創設』の論点です。

民主党政権のときに、女性宮家創設の議論が進みました。しかし、第二次安倍政権になって白紙状態となりました。

私は、女性宮家を創設して女系天皇についても検討すべきと考えています。それだけに、今回（2017年）の『とりまとめ』（注：衆参正副議長による皇室議論のとりまとめ）で、『安定的な皇位継承を確保するための女性宮家の創設等については（略）附帯決議に盛り込むこと等を含めて合意を得るよう努力していただきたい』『政府においては、以上に述べた〈立法府の総意〉を厳粛に受け止め（略）ることを強く求める』と書かれたことは重要だと思っています。

しかし、衆議院での附帯決議では、『安定的な皇位継承を確保するための諸課題、女性宮家の創設等について』と書き分けられました。政党間の合意を急ぐあまり、玉虫色の文言になったのです」

彼女によると「女性宮家の創設」を附帯決議に盛り込む努力を求めた衆参正副議長のとりまとめは良かったのに、「女性宮家の創設」を「皇位継承を確保するための諸問題」から切り離した衆議院の附帯決議は、「後退」したと言いたいのです。

彼女は、「女性宮家」が創設され、将来的には女系天皇（なるもの）が誕生するのを理想と考えているようです。

一方で普段から皇室を大切に考える人には、

「女系天皇を創設しようとする人達は、将来的に皇室の廃止を企んでいる」

「その第一歩が女性宮家創設だ」

という見解を有する人は少なくありません。

女系天皇の創設を主張する左翼政治家で、日本共産党を除けば「皇室制度を潰したい」と正直に語る人はいません。それゆえ明確な証拠はありません。皇室廃止の目標を国民に知られたら立憲民主党に投票する人は益々減るでしょう。

彼らは、「左翼は本音では皇室を潰したい」という保守派の主張を、全て「陰謀論」として葬りたいはずです。その意見を「陰謀論」で葬ると誰が得をするのか、誰の目標が達成されるか。言論を考察する時には、そういった思考スタイルこそが大切なのです。

●イギリスの王朝交代を伝えない日本

日本のマスコミ、文系学会、教育界などは、皇室を潰したい左翼に牛耳られており、機会があるごとに日本人を洗脳している。これが、私が常に有している「陰謀論」です。それを実感したのがエリザベス2世の死による王朝交代（王が別の系統になること）をマスコミが報道しなかった（報道した例があれば教えてください）２０２２年の夏でした。報道だけではありません。ウィキペディアでさえ、日本語では系統が変わった事実が書かれていません。

本来ならば、エリザベス2世の死によりイギリスの王朝名は大きく変わるはずでした。なぜなら、女王を経て血統がウィンザー家からマウントバッテン家へと移るはずだったからです。血統の移動は、１９５２年にエリザベスが女王になった時から明らかでした。しかし、それに喜んだマウントバッテン家の当主は、既にイギリスがデモクラシー国家であったにもかかわらず「マウントバッテン家が現在イギリスを統治している」と述べてしまいます。これを聞いたエリザベスの祖母であるメアリー・オブ・テック（ジョージ5世の王妃、元インド皇后）は怒り、当時の首相ウィンストン・チャーチルに相談したところ、彼は「王室は次もウィンザー家だ」と王室宣言するよう助言します。

祖母の怒りとチャーチルのアドバイスを受けて、エリザベス2世は１９６０年に自分たちの息子に「マウントバッテン・ウィンザー」という姓を与え、その旨を布告します。こうして血統は変わったけれども名前だけは「ウィンザー朝」が続くことになったのです

（正確には「ウィンザー朝」から「マウントバッテン・ウィンザー朝」になったとすべきでしょう）。

だだし、血統が移ったことは明らかなので、英語のWikipediaでは、

エリザベス2世までが、

Line of the House of Saxe-Coburg and Gotha（ザクセン＝コーブルク家とゴータ家の系統）

チャールズ3世からは、

Line of the House of Schleswig-Holstein-Sonderburg-Glücksburg（シュレースヴィヒ＝ホルシュタイン＝ゾンダーブルク＝グリュクスブルク家の系統）

と新しい系統が始まると分かるように人物図を分けて書いています。

ところが、日本のウィキペディアでは、あたかも同じ血統が続くように人物図を並べた上に、文章も、

「なお、１９６０年にエリザベス２世と夫フィリップ・マウントバッテン（Philip Mountbatten）公の間に生まれる子の姓をマウントバッテン＝ウィンザー（Mountbatten-Windsor）とする枢密院令が発せられた。もっとも、家名（王朝名）が変更されたわけで

はないため、チャールズ3世が即位した今もその家名（王朝名）はウィンザーのままである」

と、あたかも王朝が続くように記されているのです。

ウィキペディアには、様々な立場の人達が日々上書きしています。それゆえ信頼できる点もあるのですが、政治色の強い分野では洗脳に利用されているのも事実です。王と王の間に女王が入ると血統が代わりヨーロッパでは王朝名が代わる。この真実を知るだけで、

「ヨーロッパの王制度は女王も普通に生まれます。王制度に男女差別があるのは日本だけです」

という左翼の陰謀に騙される人は少なくなるはずです。

●「CO_2温暖化」は陰謀論？

CO_2（二酸化炭素）の排出により地球が温暖化している。日本でこれを疑う人は少数派だと思いますが、CO_2増加は地球温暖化原因の1つに過ぎないと考えるのが科学者の多数派のようです。では何故、CO_2原因説だけが大声で叫ばれるかと言えば、欧米諸国では原子力発電を正当化できるからです。この学説を優位にしたかった代表的な政治家は、

20世紀の女性政治家の代表である故サッチャーです。彼女は、科学者に対して「地球温暖化の原因はCO_2である」とする説には、政府が経済的支援をすると表明したのでした。

CO_2温暖化論は、中国や韓国など反日国や日本国内の左翼にとって、原子力発電のメリットとデメリットを冷静に考えられなくなった日本全体を沈めることができる美味しいネタでした。CO_2温暖化論だけを大声で叫ぶ人が左翼かただのバカかは不明ですが、もし、中国と組んでいる事がバレ、世界から相手にされなくなったグレタ・トゥーンベリ氏を呼ぶメディアがあれば、そのメディアが腐った左翼であることだけは間違いありません。

日々、左翼学者や左派メディアに騙されている日本人からすれば、「科学は中立的であるべきなのに」と思われるかもしれません。理想的には学会や科学者個人は科学に対して中立であるべきですが、それを経済的に支援する側が中立である必要などありません。巨大企業は自分達に都合の良い結論を目指す科学者に多額な支援をしていますし、多くの国は自国の国益に合う結論を目指す科学者を支援します。

ソ連が滅びる以前は、自国の力（軍事力、政治力、経済力）を削ろうとする左翼は多くいましたから、彼らとの対決姿勢を明示したサッチャーがイギリスの国益のために「地球温暖化の原因はCO_2である」とする説を支援したのは当然なのです。今や地球温暖化の主要因をCO_2とする説が多数派ですが、少数派だった時代には「陰謀論」扱いされてもおかしくなかったでしょう。もちろん、現在でも温暖化要因をCO_2以外に求める科学者や、CO_2要因を認めながら他の要因の方が影響は大きいと考える人は大勢います。

●猛暑日に怒る対象を間違う日本人

CO_2が地球温暖化に影響を与えていようがいまいが、日本でCO_2排出を抑えろと大声を出す人は、何らかの陰謀を企てていると考えます。なぜなら、日本がクソ暑くなった原因は別だからです。

2022年の夏は、普段なら梅雨のはずの6月から最高気温35℃以上の猛暑日になる都市が続出しました。そのせいか、マスコミの中には「地球温暖化」と結び付け「暑くなりましたね」と語る人が大勢いました。彼らが陰謀側の一員なのか、陰謀側に操られているバカなのかは知りません。

2022年の夏が、日々不愉快になるほど暑かった原因はCO_2ではありません。地球温暖化の主要因がCO_2か否かは知りませんが、これは断言できます。何故なら、CO_2説に乗ったとしてもCO_2で上がる温度は100年でたったの0・7～0・8度程度だからです。しかし、夏の猛暑日は東京の（１９１０～１９３９年）が平均０・８日だったのに対し（１９９２～２０２１年）は２・５日と30年の平均日数が３・３倍にもなっています（２０２２年は14回で史上最多でした）。

なぜ、地球全体の平均気温がこの１００年で１度も上がっていないのに、東京の猛暑日が何倍にもなるのか。答えは簡単、東京などの大都市でヒートアイランド現象が起きているからです。ヒートアイランド現象の原因は都庁のＨＰでは次のようにしっかりと書かれています。

（https://www.kankyo.metro.tokyo.lg.jp/kids/climate/what_heat_island.html）。

１ 緑地や水面の減少

都心部では、畑や田んぼなどの緑地が減少し、都内を流れていた河川なども埋め立てられたり、覆いをかぶせられ地中化されたりしました。緑は、水を吸収し、晴れて気温が高くなると、地面や空気の熱を奪って蒸発します。また、河川の水も蒸発する際に、空気の熱を奪います。このように、緑地や水面が減ってしまうと、地面や空気の熱が奪われずに、熱がこもったままになってしまいます。

2 アスファルトやコンクリートに覆われた地面の増大

都心部の地面のほとんどは、アスファルトの道路や、コンクリートでできた建物に覆われています。これらアスファルトやコンクリートは熱をため込み、なかなか冷めません。真夏に、アスファルトの道路を触って、やけどをしそうになるくらい熱くなっているのを体験した人も多いと思います。

3 自動車や建物などから出される熱（排熱）の増大

自動車からの排気やエアコンの室外機から出される空気は、夏場はとても近くには立っていられないほど熱くなっています。都内を走行する自動車や家庭やオフィスで使用されるエアコンの台数は増え続け、東京の夏はますます暑くなっています。

4 ビルの密集による風通しの悪化

ビルなどの建物が密集すると、風の道がさえぎられ、風通りが悪くなり、熱がこもったままになってしまいます。同じ気温でも、風があると体感温度はぐっと涼しくなります。

地球全体の温暖化と異なり都市の温暖化は、原因も明確なので対策も簡単です。埋められた川と川辺の緑を取り戻し（原因１対策）、舗装道路を減らし（原因２対策）、電気代や税制を利用して無駄なエアコンのかけすぎを是正し（原因３対策）、都会のタワーマンションなど無駄に高いビルを建てられないように（原因４対策）すれば良いだけです。

しかし、現実は埋めた川を元に戻した水辺はごくわずか、市町村は私道の舗装にまで経済支援し、外食産業では客の回転率を上げるために強烈にエアコンが効いていて、タワーマンションが次々と建てられているのです。

国益がぶつかるCO_2問題と異なり、ヒートアイランド現象を起こす原因には、それぞれ民間の強烈な利権があり、それをあてにする政治家がいます。なのでターゲットが明確なヒートアイランド対策よりも、「みんなで頑張ろう」系のCO_2関係の主張の方が、大企業を敵にしないし票も減らない。それが、宣伝の欲しいマスコミと票の欲しい政治家がCO_2しか口にしなくなった理由ではないでしょうか。

また、先に記したように地球温暖化の主要因はCO_2だという科学者が多数派になったようですが、そもそも地球温暖化はいけないことなのでしょうか。地球温暖化によって沈むと言われ、お人よしの日本人を騙すのに利用された海抜最高5メートルのツバル（立憲君主国）は、毎年、国土が広がっています。もしこれがCO_2のお陰なら、各国はもっとCO_2排出量を上げて地球を暖かくすべきでしょう。

●2022年夏の旧統一教会叩きは左翼の陰謀？

CO_2騒ぎ以上に左翼メディアは良心皆無だと実感したのが、安倍元総理の死をきっかけにした旧統一教会叩きでした。安倍元総理がテロリストに殺された2022年夏、最初は多くの日本人が彼を殺した山上容疑者や、山上が安倍氏を殺しても良いという発想に至った最大要素であろう「安倍ガー」一派に怒りを抱きました。当然です。彼らは「ウソつきは安倍晋三の始まり」というメッセージをインターネットやデモなど様々な場面で使用しました。このメッセージが左翼周辺に「安倍晋三なら殺してもよい」「安倍殺人はテロの成功」という空気を造ったと考えるべきです。

ところが、左翼メディアは安倍氏が殺された責任を旧統一教会に被せました。根拠は警察が発表した山上の発言です。山上は殺人者です。そして、殺人者が自ら語る動機の多くはウソです。彼が左翼か否かは不明ですが、左翼メディアによる安倍批判を信じ、「安倍なら殺しても許される」という妄想を抱いたのは間違いないでしょう。

山上のバックに「安倍を殺せ」と指示した国や反日集団がいたか否かは不明です。永遠に不明でしょう。しかし、少なくとも「統一教会のせいで安倍氏への殺意が生まれた」とする殺害者の主張を１００％信じたフリをして、殺人者の思考を肯定するかの如く、旧統一教会と仲が良かった政治家を個別批判したマスコミには良心のかけらもありません。良心がない程度ならばマシですが、かりにバックに中国や共産党、立憲民主党などの反安倍勢力がいる可能性を考えるとゾッとします。

旧統一教会をかばうつもりは毛頭ありません。ただ、このタイミングで、それまで何一つ批判しなかった人達が旧統一教会批判に走ったことが許せないだけです。旧統一教会の教義は、日本人として許せない内容です。しかし、彼らは、１９９１年以前は自民党にとって、それ以降は自民党にも左翼政党にも使い勝手の良い宗教団体でした。彼らが２０２２年までマスコミに叩かれなかった理由は、右にも左にもありがたい宗教団体、それだけです。

２０２２年夏以降、旧統一教会を叩けば誰が喜ぶでしょう。「殺害者は旧統一教会で家庭が壊れたのが理由で、旧統一教会と最も親しかった安倍総理を殺した」という殺害者の発言を国民が信じたら、誰が一番喜ぶでしょう。

マスコミが急に大騒ぎし始めたら、「それで隠せる真実は何か」「国民がこの騒ぎを信じたら誰が一番喜ぶだろう」と常に考える癖を身につけてください。そうすれば、陰謀を暴けなくても、陰謀に操られる多数派日本人からは抜け出せると思います。

●旧統一教会と自民党は大の仲良しだった

旧統一教会は1990年代前半までは、自民党にとって大切な存在でした。自由民主党は、その名の通り建前上「自由主義」「民主主義」を是とする政党です。それゆえ自由主義を潰すべきイデオロギーと捉え、間接民主主義を否定し共産党独裁を肯定する共産主義は、彼らの敵でした。昭和時代の自民党政治家は東大卒の官僚上がりが多かったので、大学で共産主義に洗脳されたままの人も少なくなかったのですが、自民党が設立された1955年は米ソ冷戦時代だったので、「反共産主義」は自民党員の建て前だったのです。

そんな中、1958年6月、崔奉春氏（チェ・ボンチュン 通名・西川勝）が日本に密航し、統一教会を布教し始めます。統一教会自体は敗戦直後に文鮮明氏が布教し始めたキリスト教系の新興宗教でしたが、その政治姿勢は「反共産主義」でした。彼らは第二次世界大戦を「英米＝正義」＆「ソ連＝悪魔」vs「日独伊＝悪魔」の戦いと捉え、日独伊の悪魔は退治できたので、次に退治すべきはソ連などの共産主義国家と主張したのでした。

対日独立戦争によって韓国が成立したと妄想していた（今もしている？）韓国民にとって「自分達は悪魔の国＝日本の支配下にあった」という教えは気持ち良かったでしょうし、朝鮮戦争直後だったので「次の倒すべき悪魔はソ連、中国、北朝鮮など共産主義者だ」という教えも心地良かったはずです。統一教会は、布教に成功しただけでなく、韓国の権力者とも良好な関係を築くことに成功し、1968年にＫＣＩＡ（大韓民国中央情報部）の指示下、韓国と日本に宗教団体とは別組織の国際勝共連合を設立します。

当時は、今では想像できないほど共産党や社会党（現、社民党＆立憲民主党）が国民の支持を受けていたので、日本の保守派にとって国際勝共連合はありがたい存在でした。名誉会長にギャンブルとヤクザのボスと言われた笹川良一氏が就いたことからも、当時の自民党にとって国際勝共連合はもちろん統一教会も大切な存在だったことが推測できます。

当時は自民党単独政権でした。密航から始まった新興宗教が、政府にとって大切な存在になってしまったのです。

●右も左も統一教会が大好き

昭和時代は今以上に「戦前の日本は悪い国」が常識だったので、第二次世界大戦を善（英米）悪（ソ連）連合軍VS悪魔集団（日独伊）と捉える統一教会信者に選挙を手伝ってもらっても、自称保守派の自民党政治家は心が痛みませんでした。

さらに、ソ連が崩壊し、北朝鮮がろくでもない国だと明らかになると、統一教会の反日スタンスが左翼勢力にもありがたくなります。左翼メディアで韓国が「良い国」扱いになったのは、北朝鮮の悪辣《あくらつ》ぶりが世間にバレてからで、それ以前は朝鮮戦争の後遺症で「韓国＝悪、北朝鮮＝正義」が、左翼の常識だったのです。しかし拉致に加えて、朝鮮戦争のきっかけも北朝鮮による侵略と明らかになると、資本主義国家韓国も反日というだけで左翼勢力にとっても仲良くすべき相手に変貌したのでした。

しかし、自民党と左翼政党（現在：社民党&立憲民主党）が旧統一教会を大切にした最大の理由は、双方に公明党や共産党のような「信者」がいないからです。政治家にとって最もありがたい存在は、選挙時に働いてくれる人達なのですが、日本人の圧倒的多数派は「政治嫌い」です。

左翼老人達は、自分達が信じた共産主義を後世に残せませんでしたが、彼らの愚かな生

き方が、

「政治に熱くなる人は残念な人」

という空気をしっかりと残しました。

その結果、公明党と共産党以外の政党は、選挙のたびに運動員がいなくて苦労するのが常態になってしまったのです。それでも、20世紀はまだ自民党は土木建築系社員、左翼政党は官公庁系労働組合が運動員になってくれましたが、小泉政権の「公共事業潰し」＆「正規職員潰し」によって、ますます選挙時の運動員に苦労するようになりました。

そんな彼らを助けてくれたのが、統一教会など新興宗教の信者でした。単に地域の付き合いや先祖からの流れで寺や神道の「信者」扱いになっている日本人の多数派と異なり、新興宗教の信者は宗教団体からの指示に積極的に従って行動してくれます。それゆえ、本気で選挙を応援してくれる運動員を有しない公明党、共産党以外の政治家にとって、新興宗教とその信者は「神」のごとき存在でした。

その結果、自民党には平気で複数の新興宗教の信者になる（信者を装う？）政治家が少なくありませんでした。私自身は、１月１日は神道信者、お盆は仏教徒、12月24日はキリスト教徒っぽくなる典型的な日本人ですが、天理教教会の長女を配偶者に持ち、不認可になった幸福の科学の「大学」で講義するなど新興宗教を信じる方々と親しくしてきました。

それは、無意識のまま左翼教育によって「宗教＝麻薬」「信者＝麻薬中毒」と洗脳された人達への反発がスタートでした。だからこそ、学校教育を放置したまま、信じてもいないくせに「信者」になる政治家達に心底呆れました（日本人の宗教に対する無意識の嫌悪は、学校での「いじめ」や職場の「パワハラ」で問題になっており、いずれ大問題になると予測します）。

日本人として第二次世界大戦時の日本を全否定する統一教会の教義に怒りを感じるのは当然ですし、彼らと深く繫がり、共依存関係にあった政治家達が、マスコミの前で「愛国者」ぶっていたのが許せないのも当然です。しかし、安倍元総理がテロリストに殺されたタイミングで、国民がテロリストに共感できるかの如く騒ぎ出したメディアが、そして、あたかも自民党だけが繫がっていたかのように報じるメディアが腐っていることも理解して欲しいと思います。

●コロナ・ワクチンは人体実験です

ここ数年、日本を騒がせた「陰謀論」は、何といっても新型コロナのパンデミックです。

この時に何がびっくりしたかといって「コロナ・ワクチンは人体実験だ」と真実を語る人達を、「陰謀論を信じるバカ」扱いした（今もしている？）世論でした。

新型コロナ・ワクチンは人体実験です。

新型コロナ・ワクチンは、ｍＲＮＡワクチン（メッセンジャーＲＮＡ）を利用したワクチンであり、新型コロナが流行する遥か以前（１９８０年代）から開発・実験されてきたワクチンでした。しかし米企業がアメリカの国立アレルギー・感染症研究所（ＮＩＡＩＤ）と協力してマウス実験を行い、ヒトでの治験を開始したのは２０２０年になってからです。その後、記録的な速さで臨床試験が進み、ヒトでの最初の試験から８カ月もしないうちにｍＲＮＡワクチンは緊急承認を受けたのでした（「ｍＲＮＡワクチン完成までの長く曲がりくねった道」『Nature ダイジェスト』より）。

世界の多くの国が、マウス実験から1年前後しか経たないワクチンを緊急承認し、それを世界中のヒトに打って有効性と危険性がチェックされた。これが、新型コロナ・ワクチンの事実であり、これを人体実験と言わずして何が人体実験なのでしょう。

こういった人体実験は「治験」と呼ばれるのですが、普通、薬品やワクチンが商品になる前に数段階の「治験」が行われます。しかし、欧米諸国の人々は新型コロナの白人への感染力と死亡率に驚きました。丁寧な「治験」をすっ飛ばした欧米諸国の緊急承認は、大衆の驚きの声に応えたのですからデモクラシー国家としては仕方なかったのかもしれません。もちろん、「治験」の足りないワクチンなど信用できない、人間が本来有する免疫力を信頼すべきだと主張して、ワクチン接種を拒否する「反ワクチン左翼」が各国に誕生しました。

●「反ワクチン左翼」が生まれなかった日本

ところが驚いたことに白人達と比にならないくらい、日本人は新型コロナで死にませんでした。それどころか高齢化が激しい日本では21世紀になって一貫して死亡者数が増加していたのに、世界がパンデミックで大騒ぎをし始めた2020年に、21世紀2度目の死亡者数減少が起きたのでした（図表3）。

この数字を見れば、「反ワクチン左翼」でなくても「治験」扱いを拒否するのは当然です。少なくとも情報弱者でなければ、ワクチンを拒否するのも仕方ありません。しかし、不思議と本物の左翼＝日本共産党さえ反ワクチンになりませんでした。2021年2月19日の「しんぶん赤旗」には次のような記事があります。

日本共産党の志位和夫委員長は18日、国会内で記者会見し、新型コロナウイルスのワクチンの接種開始にあたって、現時点で求められる課題について次の4点を提起しました。

1、ワクチンの安全性・有効性、副反応などのリスクについて、迅速・徹底的な情報公開を

国民のなかには新型コロナの収束への有力な手段としてワクチンへの期待がある一方、

図表３　21世紀の日本の死者数

西暦（年）	死者数
2001	970,331
2002	982,379
2003	1,014,951
2004	1,028,602
2005	1,083,796
2006	1,084,451
2007	1,108,334
2008	1,142,407
2009	1,141,865
2010	1,197,014
2011	1,253,068
2012	1,256,359
2013	1,268,438
2014	1,273,025
2015	1,290,510
2016	1,308,158
2017	1,340,567
2018	1,362,470
2019	1,381,093
2020	1,372,755

厚生労働省人口動態統計より

不安の声も少なくありません。
ワクチンの安全性・有効性、副反応などのリスクについての国内外のデータを、迅速かつ徹底的に国民に明らかにしていくことを求めます。（中略）
ワクチン接種は、あくまでも個人の自由意思で行われるべきであり、接種の有無で差別することは絶対にあってはなりません。
2、「ワクチン頼み」で感染対策がおろそかになれば大きな失敗に陥る
ワクチンは感染収束への有力な手段ですが、未知の問題を多く抱えています。（中略）
わが党が一貫して求めてきたように、無症状感染者を含めた検査の抜本的拡充、医療機関への減収補填《ほてん》、十分な補償など、感染対策の基本的取り組みを、同時並行でしっかりと行うことが、いよいよ重要です。
3、自治体と医療体制への支援の抜本的強化を
（略）
4、世界的な「ワクチン格差」の解消のため、積極的役割をはたす
貧困問題に取り組む国際団体オックスファムは「世界人口の13％にすぎない先進国がワクチンの51％を独占している」とし、このままでは感染が起こっている67の国・地域

で、9割の国民が今年中に接種を受けられない恐れがあると警告しています。（中略）
新型コロナのワクチン普及に取り組む国際的枠組み「ACTアクセラレーター」の試算によれば、途上国へのワクチン供給には2021年末までに5000億円超が必要とされます。日本の軍事費は年5・4兆円です。世界の核兵器保有国が核兵器のために支出している予算は年7・6兆円です。これらの一部をまわしただけでも途上国へのワクチン供給は可能です。

●世界に治験を広めようとした日本共産党

「ワクチン接種は、あくまでも個人の自由意思」とした点は当然ですが、政府の行為にいつも不信感100％で接する日本共産党が、資本主義国家アメリカの大企業が製造し何兆円と儲けているワクチンを、「治験」段階にあるワクチンを、怪しまないどころか日本が金を配って世界中で打てるようにしろと政府に要求したのです。

新型コロナが流行したお陰で日本人の死者数が減少するなか、世界では「反ワクチン左翼」が生まれて騒ぐなか、日本共産党はワクチンを世界に広めようとしていたのです。彼らの親玉の中国共産党は、2022年になっても「ゼロ・コロナ」を目標に都市封鎖を続けています。もしかすると日本共産党や中国共産党は、我々が知らない新型コロナウイルスの恐ろしさを知っているのかも。

両党の動きを考えると、

・新型コロナは中国が開発したウイルス兵器である

・新型コロナを開発した中国と、コロナ・ワクチンで大儲けした米企業は最初から組んでいた

・世界の七十数億人への人体実験は最初から計画されていた

といった「陰謀論」も完全に否定できないのではないでしょうか。今のところ私は信じませんが（笑）。

●世界を動かすディープステート

「陰謀論」と言えば、王道はディープステートです。

２０１８年9月、トランプ大統領がディープステート（Deep State）という言葉を公衆の面前で使用（モンタナ州中間選挙のスピーチにて）して以降、日本では（アメリカでも？）「ディープステートが世界を動かしている」と言うだけで、「陰謀論を信じる」バカ

扱いを受けるようになりました。

私もこういった話を聞くたびに「ついに日本人はここまで低能になったか」と悲しくなります。

「ディープステートが世界を動かしている」と信じる人達ではありません。これを堂々と否定する左翼学者や彼らの言動を素直に信じる人達を見た時です。

トランプがディープステートという言葉を使ったのは、多くの支持者に実態を理解してもらうためであって、「デモクラシー国家アメリカを動かすのは（残念ながら）国民ではなく、影の特定集団だ」という議論は数十年前から存在します。

最も有名な影の特定集団は「軍産複合体」です。1961年1月にアイゼンハワー米大統領が、退任演説において、「軍産複合体」の存在を指摘し、それが国家・社会に過剰な影響力を行使する可能性、議会・政府の政治的・経済的・軍事的な決定に影響を与える可能性を告発しました。

アイゼンハワーの指摘を左翼系政治学者たちは、

「資本主義国家は、実は民主主義ではない」

と拡大解釈し、アメリカを動かすのは軍産複合体だというのが、日欧の政治学の常識になります。

さらに時代が下ると、

「『軍産複合体』という名称は今日必ずしも適切な表現ではなく、いまや大学、研究所、ペンタゴンの高級官僚、議会内軍産派、民間圧力団体、労働団体をも巻き込んだ巨大な複合体に成長し、しばしば『軍・産・官・学』複合体と呼ばれる」

（1986年10月『アメリカにおける科学技術開発と「軍・産・官・学」複合体』菅英輝著　日本国際政治学会編『国際政治』第83号「科学技術と国際政治」より）

と、ソ連のライバルであるアメリカを実質的に動かしているのは誰かを研究するのが、当時左翼が牛耳っていたヨーロッパや日本の国際政治の大きなテーマになったのでした。

1991年にソ連が滅びて競争のメインが軍事から経済に移ると、「軍・産・官・学」の背後にいる金融機関の力が大きくなります。ところが、アメリカの中央金融機関FRBは日銀と違って政府が株式を一株も持たない純粋な民間組織です（日銀は政府が55％の株を持つ政府の子会社に過ぎません）。

FRB株主名簿は非公開ですが、アメリカではロスチャイルド家、ロックフェラー家、モルガン家などがFRBの株の多くを有すると公然と語られます。

となれば、これらユダヤ資本がアメリカを通じて世界を支配しているというディープステート論は、本気で研究すべき事柄のはずです。にもかかわらず、ディープステートと単語を聞くだけで議論さえしようとしないのが、今のメディアの多数派の空気です。

「陰謀論を１００％信じる人はバカだが、全く信じない人はそれ以上の大バカだ」

これだけは断言できます。

第3章　消費能力格差社会

●社会は常に不平等

左翼達は最近、高度成長期は「総中流」だったのに、近年は格差社会になったとウソを垂れ流しています。高度成長期に日本が「総中流」と言われ出した根拠は、国が行う意識調査で自分を「中流（中の上、中の中、中の下の合計）」と評価する人が9割を超えたからでした。直近の調査でもそれは変わっていません。高度成長期が「日本総中流」なら、今でも日本は総中流です。

もちろん高度成長期にも格差は存在したし今も存在します。そもそも格差がない社会などヒトが誕生して一度も存在しませんでした。農業が発展して以降の格差は遺跡から読み取れますし、群れを作る他の動物の実態から類推すれば、農業が発展する以前も個体間、家族間の取り分格差はあったはずです。古今東西あらゆる社会で「立場の強弱」と「取り分の多寡」に強い相関性があり「格差」があったのです。

日本の江戸時代は、例外的に「士農工商」において武士は身分が高かったが、富は商人に集中した、という意見があります。しかし、今では「士農工商」という単純な身分制度そのものに否定的な説が有力になりました。武士や農工商の上位層には「家」制度があったので、長男はそれを継ぐのが建て前（ただし、士と農工商では実態が異なりました。これについては第5章で記します）でしたが、次男以下の職業選択はかなり自由で、その中には成功した人もいましたし、農工商にも支配層への貢献（賄賂？）によって刀を持つ許可を得た人たちもいました。江戸時代も社会的地位と取り分の相関性は正だったと考えるべきです。

いずれにしても、財の取り分が平等だった時代などないし、これからも来ないでしょう。ただ、現代の日本社会とそれ以外の社会が異なるのは、労働への対価が最も少ない人達、最低賃金で働く人達の暮らしが、社会主義という妄想が生まれた19世紀の富裕層の暮らしに劣らず豊かだという点です。

●令和の貧乏人＝19世紀の富裕層

令和の貧しい人々の暮らしは、社会主義が誕生した19世紀の富裕層の暮らしぶりに似ています。納得できない人もいるでしょうから、いくつか例を挙げておきましょう。

１　タバコ好き

平成30年の国民健康・栄養調査によると、現代社会では貧しい人ほど喫煙する率が高いという傾向にあり、とりわけ女性には、この傾向がはっきりと見て取れます。これに対し19世紀は様々なタバコ文化が錯綜したタバコ商にとって豊かな時代でした。スナッフ（嗅ぎたばこ）、パイプ、シガー（葉巻）、シガレット（紙巻きタバコ）という4種類のタバコ喫煙がみられた時期で、それらは全て高級品でした。もちろん、それらを楽しんだのは主に貴族と貴族にあこがれたブルジョア階級です（泉順子、佐藤真子著『19世紀イギリスのダンディズムにみるたばこ文化』より）。

彼らがタイムマシンに乗って今の日本の年収２００万以下でタバコを吸う女性を見たら、21世紀の貴族婦人と勘違いするかもしれません。

2　糖尿病にかかりやすい

糖尿病は、かつて金持ちだけがなれる贅沢な病でしたが、今では貧乏な人達の方がなりやすい生活習慣病です。２０１９年1月に千葉大学医学薬学部先端医学薬学専攻長嶺由衣子氏が、65歳以上の約1万人を対象に、所得、教育歴、最長職（最も長く従事した仕事）によって糖尿病の有病率に差があるかを検証したところ、所得の影響が大きく、最も所得の高い群に比べると最も低い群は、女性で約1・4倍、男性で約1・2倍、糖尿病にかかりやすいと分かりました。古代や中世には支配者しかなれなかった、数十年前の日本でさえ小金持ちしかなれなかった「贅沢病」に低所得者がなれるのが令和時代の現実です。

３　ギャンブル好き

こちらは客観的なデータは見つかりませんでしたが、パチンコ屋に出入りしている人達を想像すれば実感できると思います。今では日本は、生活保護受給者がパチンコはもちろん競馬や競輪にお金を出せるほど豊かな国になりました。パチンコと競輪は日本で発明され、多くの国で許されないギャンブルなので他国と比較することは不可能です。そこで、19世紀の競馬についてヨーロッパと比較してみましょう。

19世紀の競馬に最もハマっていたのは誰か？

それは、イギリス国王ジョージ4世（在位：１８２０-１８３０年）です。彼は、王子の頃から競馬に熱中し、国王になってからは国の歳費の多くを競馬に費やしました。それでも足りなかったジョージ4世は借金を重ね、国債をその返済に使用しました。額は異なりますが、税金を財源とする生活保護を勝ち取り、そのお金でパチンコをしている現代の生活保護受給者は、お一人お一人が「小さな王様」と言えるでしょう。

4　大量の物欲を満足させている

ほんの数十年前まで世界中で、自分の物欲を満足させることが可能なのは金持ちだけでした。今では低所得者も大抵の物欲は満たすことが可能です。時計はその代表です。中卒の初任給が数千円だった昭和30年代、庶民が使う腕時計に1万円以上する物が普通にありました。それでも学生や社会人には腕時計が必要な場面が多かったので、進学や就職祝いに腕時計をもらった人も少なくありません。

しかし、スマートフォンが普及した現代、腕時計をするか否かは趣味の問題です。100円ショップに行けば腕時計を買えるので最安値は税込110円です。令和時代の中卒採用者の初任給は15万円前後なので、最安値の腕時計なら千数百個買えます。最低時給のパートで働く方も、一日の給料で数個の腕時計が買えます。

腕時計ほど極端ではありませんが、他のモノも買いやすくなりました。昭和時代には大企業に勤める人達がボーナスをつぎ込んでエアコンをつけカラーテレビを買っていましたが、これらも大抵は中卒の初任給やパートの月給で数台購入できます。

今では収入と物欲に関係はほとんどありません。物欲と関連性が高いのは「見栄」です。

110円で腕時計を買える時代に数百万円の腕時計を買うのはただの「見栄っ張り」です。ニュースやバラエティ番組に出てくるゴミ屋敷に住む人も物欲を満たしています。彼らは大抵「貧しい」人ですが、その家はゴミ袋だけでなく物でも埋まっています。19世紀の社会主義者が物に埋もれるゴミ屋敷を見たら、不潔だけれど金持ちの家と勘違いするでしょう。

5　離婚率が高い

19世紀ヨーロッパで離婚できるのは金持ちだけでした。

現在、世界一信徒が多く政治的影響力が最大の宗教はキリスト教です（あと数十年でイスラム教徒の人口が抜くという予測はあります）。キリスト教徒は各国の軍部と力を合わせて世界中を侵略しましたが、1648年にウエストファリア条約が結ばれるまでは、ヨーロッパの中でもカソリックとプロテスタントで何度も戦争を繰り広げました。当時のヨーロッパ諸国では、政府が教会の金集めに協力していました（今でもドイツ、スウェーデン、フィンランド、スイスなどで行われています）。教会がカソリックしかない時代は問題ありませんでしたが、信徒に聖書を読ませず（母国語に訳させず）、聖書の内容にウソを盛り込むカソリック（※代表的なウソは十戒から「偶像崇拝の禁止」を割愛したことです。今でもカソリックでは十戒に反して信徒にマリア像を拝ませています［章末参照］）に反旗を翻す人達＝プロテスタントが現れました。プロテスタントが誕生し、一部の国王もそちらを信じると、政府が国民から集めた金をどの宗派に渡すかは大きな問題になります。取り分が減ったカソリックは「金さえ出せば罪をまぬかれる」という贖宥《しょくゆう》状を発行し始めました。汚れ切ったカソリックへの反発こそがヨーロッパの宗教戦争だったと私は考えます。

教会同士の金の取り合いに加えて、戦争理由になったのが権力者の女性問題でした。当時のカソリック信徒は、教会が認めないと離婚できません。

旧約聖書では、

「人が妻をめとって、結婚したのちに、その女に恥ずべきことのあるのを見て、好まなくなったならば、離縁状を書いて彼女の手に渡し、家を去らせなければならない」（申命記24章1節）

と比較的安易に離婚は認められていました。

一方で未婚の女性に対する性行為には厳しく、婚前交渉で処女を失った女性には処罰が待っていました。そのせいか、シングルマザーを母に持つイエス（本名ヨシュア、当時のユダヤ人に苗字はありません）は、「教え」に母マリアは処女懐胎したという事項（妄想？）を加える一方で、離婚を従来のユダヤ教よりもはるかに厳しく統制しました（婚外性行為をよほど恨んでいたのかもしれません）。

新約聖書（マタイによる福音書）では以下のような文章があります。

「また『妻を出す者は離縁状を渡せ』と言われている」

「しかし、わたしはあなたがたに言う。だれでも、不品行以外の理由で自分の妻を出す者は、姦淫を行わせるのである。また出された女をめとる者も、姦淫を行うのである」

これによりキリスト教が支配する社会では、王も庶民も配偶者が、「不品行」（今でいう「不倫」）をしてくれないと離婚が認められなくなったのです。では、誰が配偶者の行為を「不品行」か否かを決めるのか。それは教会です。つまり、中世ヨーロッパでは教会が認めてくれないと離婚できなかったのです。

これに困ったのが愛人作り放題だった諸国の王達です。愛人を持つまでは法的にも宗教的にも問題なかったのですが、今も昔も「私を正妻にして」と求める愛人はいます。また、愛人の思いに応えて「正妻と別れて愛人とやり直したい」と考える人もいます。そんな王達にとってプロテスタントはありがたい存在でした。

プロテスタントが離婚をすぐに認めてくれたのではありません。プロテスタントは婚姻・離婚を宗教から切り離し、現代のような国家制度にすべきと考えたのです。もちろん、だからと言って簡単に離婚できる訳ではありません。「不品行」決定権が教会から裁判所に移っただけだったので、現実に離婚できたのは、裁判所に行って判決をもらえる時間と、時に裁判官に賄賂を渡すだけの金を有する権力者や金持ちだけが離婚できたのでした。

現代の日本でも離婚は婚姻の3倍労力が必要だと言います。また1円も稼がなかった専業主婦（専業主夫）も婚姻期間に作った財産の5割の分与や、年金の一部を請求することができます。それゆえ、財産分与の対象もなければ、年金も真面目に払っていない貧乏人の方が、真面目に働いてきた人よりも離婚しやすいのが現代社会です。「離婚」は財産のない貧乏人と、財産を半分取られても余裕で暮らせる金持ちの特権になったのかもしれません。ちなみに「離婚」が認められないフィリピンでは、「婚姻」そのものを取り消しか配偶者と別れる方法がなく、それができるのは金持ちだけだそうです。

19世紀の社会主義者の多くは金持ちだったので、彼らが安易に結婚と離婚を繰り広げる現代日本の貧乏人を見たら、彼らは「21世紀の日本は、離婚できる特権が貧しい人にも平等に行き渡っている。社会主義革命が成功したのだろう」と考えるでしょう。

●貧しい人を救う道は無限にある

私は、「貧乏人を放っておけ」とは思いません。

ただ、本当の貧しさ＝絶対的貧困が無くなったら、欧米が造った「相対的貧困」概念に乗っかって、貧乏人が多いのは資本主義のせいだ、搾取している企業が悪い（ブラック企業が多いのは事実ですが）、日本政府が悪い（日本政府が無能なのは事実ですが）、日本社会が悪い、といった主張をすることが、現代日本社会の実情に合わないと考えるだけです。

左翼は、貧しさの根底に資本主義社会があると妄想していますが、この世に株式会社が登場する前から貧困は存在しましたし、格差も搾取もありました。

ただし、「貧しさ」に向かう道は、時代とともに変化します。同様に、貧しい人を救う道も時代とともに変化するのです。私は、人の不幸を何でも資本主義や日本社会のせいにする左翼は滅びるべきだと考えますが、貧しさに苦しむ人は救うべきであり、それを「左派」と呼ぶのであれば「左派」は永遠に必要だし、自分自身も「左派」だと信じています。

そこで、令和時代の貧乏人の救い方を考えてみましょう。

●「質素な暮らしの喜び」を拡散する

欧米で流行する「相対的貧困」という概念が日本においては意味がない理由は、「質素な暮らし」こそ尊いとする伝統的思想を多くの日本人が無意識に持っているからです。これこそが、欧米諸国と日本の決定的な違いであり、この違いは、国の頂点から庶民まで様々な場面に登場します。

欧米の金持ちは自分の部屋にギラギラのシャンデリアを飾り、王族が人前に出るときは、まぶしくなるほどの宝石で身を飾ります。対して日本では池のある庭、縁側、和室と続く家こそが住まいの頂点であり、大切な日には、見た目では（素人には）価格不明の和服を着ます。自宅の部屋に大きなシャンデリアを飾り、皆と会う時に大きな宝石や時計で身を飾り過ぎると軽蔑されかねないでしょう。またアメリカでは経済的に大成功した人までが住むタワーマンションも、東京では田舎から出てきた人が購入するモノというデータが存在します。

こういった欧米と日本の違いは、服飾産業のZARAとユニクロにも出ています。どちらも世界中で莫大な量が売れる安価なブランドですが、その路線は真逆です。スペインに本社を持つZARAはハイブランドから始まる流行にあっという間に追いつくことが売りのブランドです。ＺＡＲＡが登場したお陰で、豊かじゃない人も最先端の服を着られるようになりました。これに対しユニクロは、質で勝負するブランドです。かつて「安物買いの銭失い」という諺は、衣服の業界にも当てはまりました。これに対し安価だけれども生地も仕立てもしっかりとしていて安心できるブランドとして世界的評価を獲得したのがユニクロです。

国民の豊かさを表す１人当たりＧＤＰという視点からすれば、スペインはＥＵの中では貧しい国です（３０，０９０ドル）し、日本も先進国の中では今や貧しい国です（３９，３０１ドル）。

※アメリカ６９，２２７ドル、ドイツ５１，２３８イギリス４７，３２９、フランス４５，１８８など

（以上２０２１年ＩＭＦデータより）

ともに貧しい国でありながら、金持ちの真似が安価にできるブランドを生んだスペインと、質実剛健のブランドが生まれた日本。質素な生活でも幸せになれる、いや質素な暮らしの中にこそ尊さや喜びがあると考える日本の代表ではないでしょうか。

ちなみにユニクロでも高いと感じる方は、ぜひＧＵに行ってみてください。ＧＵはユニ

クロと同じ企業が運営するブランドでユニクロよりもさらに安価な衣服が売られています。もちろん質も安心できるレベルです（私はここ数年、プライベート用衣服はGUブランドしか購入していません）。

●「相対的貧困」者が豊かに暮らせる日本

「貧困問題」ごっこを続けたい偽善者や左翼のせいで、勝手に不幸な貧乏人にされてしまった「相対的貧困」者が豊かに暮らせるのが日本です。安価で充実しているのは衣食住の「衣」だけではありません。

日本に来た外国人は、外食しても、スーパーで肉や野菜を買っても、日本の物価の安さと質の高さに驚きます。また高級品と庶民用の品の価格格差も少ない。それが一番分かりやすいのは酒です。ヨーロッパで造られる高級ワインは、庶民が飲むワインの数十倍、数百倍の値段がするため庶民は一生飲めません。これに対し、高級な日本酒は普通の日本酒の数倍以内で購入可能です。そのおかげで庶民の酒好きは、超高級な日本酒を余裕で飲むことができるのです。

外食では、朝のマクドナルドなら２００円でソーセージマフィンにコーヒーが付いてきますし、うどんが食べたければ「はなまるうどん」でかけうどん（小）が270円、（天かすかけ放題）、牛丼なら松屋で「牛めし」380円（味噌汁付きで紅ショウガ食べ放題）で食べることができます。

食べ物差別（笑）をする人は、「そんなモノしか食べられないこと自体が貧しい証拠だ」と言うかもしれませんが、1000円も出せばワイン付きでイタリアンが食べられるのが日本です。サイゼリヤではガーデンサラダ319円、コーンクリームスープ137円、マルゲリータピザ364円、グラスワイン91円を店で味わえます。これらを合わせれば税抜911円（税込1000円）でワイン付きのディナーが食べられます。外国人の友人・知人がいる方は是非、サイゼリヤでこのコースを楽しんでください。欧米人はもちろん最近増えたアジア系の人達も安さと味に驚くでしょう（以上、2022年現在の価格です）。

スーパーに行けば、欧米人の多くは価格以上に質の高さに驚きます。食べ物の価格の安さだけなら東南アジアに行けば、日本より安い国はありますが、安いにもかかわらず質が高いのが日本のスーパーで売られる食べ物です。

このように言うと、日本を批判するのが大好きな左翼達は「住」を挙げて「日本は豊かに暮らせない」と言うかもしれませんが、今では東京さえ他国の大都市より安価なのが現実です。「Yahoo不動産」などで賃貸を調べてみてください。東京23区の一人暮らしの生活保護者は、家賃を53,700円まで受け取れますが、この額をもらえるなら、ワンルームどころか駅から10分以内で2K（30平米前後）のマンションに住むことができます。

もちろん、千代田区、中央区、港区といった都心ではなく、かつては「川向こう」とも呼ばれたこともある不人気だった区にはなりますが。でも、昭和時代と違い不人気区に多かった珍走団（かつて暴走族と呼ばれた不良集団）は見なくなりましたし、電車に乗っても一目で不良と分かる若者も消えました。東京は不人気区の治安もすっかり良くなったのです。

生活保護者なら2Kのマンションに住み、毎年服を買い替えて、スーパーで好きなモノを買って食べ、外食時は、うどん、牛丼、ハンバーグなど安価なモノだけでなくイタリアンのコースまで食べられる。それが日本です。

ちなみに一人住まいの老人が生活保護を受けると、受給者の所得は「相対的貧困」を上回ります。それ自体、（金額が多すぎて）大問題ですが生活保護申告ができない人でも、所得が「相対的貧困」レベルであれば余裕でリッチに暮らせるはずです。

●搾取される貧乏人

では、日本に貧しさで苦しむ人はいないのでしょうか。残念ながらゴロゴロいます。なぜか？　彼らは搾取されているからです。

では、誰に、どのように搾取されているのでしょう？　現実を見ない左翼たちは、

「資本主義社会なのだから、正当な労働の対価をもらえず資本家に搾取されているに決まっている」

と答えるでしょう。

ブラック企業はゼロではないので、そんな人もいるかもしれませんが、圧倒的多数は広告を通じて不要な欲望を刺激され、無駄な消費を通じて搾取されているのです。

先に述べたように、現代日本の貧乏人は、タバコを吸って国から税金を搾取され、糖尿病になるほど大量の食事を取り、少ない金からギャンブル代を出し、無駄な物を沢山購入して自宅を汚し、見栄を張って高額な結婚式を挙げたのちに高確率で離婚しています。

そんな彼らには丁寧に、

「タバコは国が庶民を搾取する道具です。今時、タバコなんて吸ったらモテないし、吸える場所が減ってきているから、どこに行っても不便ですよ。企業によっては就活まで不利

になります」

「外食なんかしないで、スーパーで野菜や鶏肉を買って自分で料理しなさい。どうしても外食したいのなら週に1回くらいの○○なら大してお金は使わないはずです」

「ギャンブルは絶対に止めた方が良い。なぜなら、はずれたら貧乏になるし、当たっても大抵の人は不幸になりますから」

「無駄な物を買っても後悔するだけです。ほら、この間買った○○。袋から出してさえいないじゃないですか」

「結婚おめでとうございます。でも高額な結婚式なんてやる必要ありませんよ。信者でもないのにキリスト教式でやりたい？　なぜ神父が出てくるかご存じですか？　あれは昔のヨーロッパでは政府じゃなく教会が認めないと結婚も離婚もできなかった最低の制度が由来なのですよ。それなのに式場以外のお金を払うだけ無駄です。いや、結婚式そのものが『家』制度があった時代の慣習です。友人・知人に知らせたいのなら会費パーティーを開けば十分です。それなら1カ月分の給料分も自腹を切れば余裕で開催できます」

と指導してあげましょう。

現代日本で「貧しさ」に苦しんでいるのは、給料が低い人ではありません。最低時給でも余裕で暮らせることを知らず、下手な暮らし方をしている人達です。

暮らし方が下手なのは、タバコ、外食、ギャンブル、無駄な物買い、結婚式だけではありません。

年収が低い人ほど、①スマートフォンを格安ＳＩＭに乗り換えずDocomo, KDDI, SoftBankの３大携帯を使い続け、②電気料金が安くなる新電力会社への乗り換えをせず、③ポイントがついて結果的に1％前後安くなる「キャッシュレス」生活をせず、④歩くだけで事実上「お金」がもらえるポイント活動を行わず、⑤税金が多少は返ってくる「ふるさと納税」をしていない事が「ニッセイ基礎研究所」の調査や「キャッシュレス決済実態調査」でわかっています。

●「ご飯をお腹いっぱい食べたい」とウソを流すＮＰＯ

最近、貧しい家の子どもはご飯をお腹いっぱい食べられないかのようなコマーシャル映像がYouTubeでよく流れています。先に書いたように日本の貧乏人は、糖尿病になるほどお腹いっぱいご飯を食べられます。ご飯を満足に食べられない子どもは実際いますが、彼らがお腹いっぱいご飯を食べられないのは家が貧しいからではなく、親がまともな金の使い方をしない、という家庭もあるのです。

あまりの時代錯誤に怒りと驚きを感じて調査してみたら、そのコマーシャルを流しているＮＰＯは韓国発の法人でした。韓国の貧困層が今も飢えているのか、日本同様、糖尿病になるほどの高カロリーを摂取できるのかは知りません。しかし、少なくとも日本で「飢えている」子どもの親は、少ない所得をタバコ、酒、パチンコなどくだらない支出に使い、子どもを虐待している親もいるのです。

そんな子どもを見つけたら、やるべきことはＮＰＯがしているような、家庭に食べ物を送ることではありません。児童相談所に情報提供して、虐待する親から親権をはく奪することです（日本の福祉行政は、この点で極めて遅れています。おそらく他の福祉行政のように利権を生まないからでしょう）。

ちなみに、このＮＰＯは収入の５割もご飯（資機材費）になっていません（図表４）。また、資機材費とほぼ同額の莫大なお金がコマーシャル（告知活動費）に使用されています。寄付した額の３割前後が、虐待する親の下で育つ子どもの食費になっても良いと思う方は、このＮＰＯに寄付してあげてください。個人的には、ここに寄付するくらいなら、日本ユニセフの方がまだマシだと思います（こちらの方は７～８割は本部にお金がいくよ

図表４　あるNPOの活動計算書（一部抜粋）

科目	特定非営利活動に係る事業 金額	小計・合計
【A】 経 常 収 益		
1 受取会費		0
正会員受取会費	0	
賛助会員受取会費	0	
2 受取寄附金		589, 064, 860
受取寄附金	465, 976, 137	
寄付物資収入	123, 088, 723	
3 受取助成金等		282, 180, 858
グッドネーバーズ本部補助金収入	54, 077, 750	
助成金収入	228, 103, 108	
4 事業収益		2, 605, 490
受託事業収入	2, 080, 842	
フェアトレード事業	494, 648	
その他目的を達成する為に必要な事業	30, 000	
物品の販売事業		
5 その他の収益		627
受取利息	627	
経 常 収 益 計		873, 851, 835
【B】 経 常 費 用		
1 事業費		
（1）人件費		97, 126, 543
役員報酬	0	
給料手当	82, 611, 200	
法定福利費	11, 665, 343	
退職給付費用	2, 850, 000	
（2）その他経費		614, 241, 721
資機材費	242, 764, 465	
謝金	286, 889	
出張費	7, 151, 158	
車両関連費	9, 160, 823	
現地人役費	11, 184, 822	
賃借料	1, 737, 781	
プロジェクト事務所維持費	6, 965, 345	
プロジェクト監査費	1, 599, 709	
出展料	1, 167, 000	
告知活動費	213, 418, 848	
印刷費	1, 523, 133	
外注費	22, 232, 508	
通信郵便費	9, 807, 247	
支払手数料	21, 190, 079	
通勤交通費	1, 589, 126	
CDP事業費	50, 318, 972	
保険料	180, 093	
家賃	4, 234, 385	
租税公課	42, 510	
消耗品費	5, 894, 627	
諸会費	435, 055	
研修費	378, 420	
会議費	300, 644	
寄付物資廃棄損	302, 953	
仕入	375, 129	
事業費計		711, 368, 264

うです）。まぁ、どちらにも1円も寄付したことなどありませんが。

●搾取される中間層

貧乏人が消費で搾取されているのに、日本の「左」には悪質な左翼（革命を妄想した高齢者と反日集団）しかいないために、「労働で搾取されている」「貧しい人は飢えている」といった前時代思考から卒業できません。

そのせいでしょうか、搾取されているのは貧しい人だけではありません。中間層もごっそりと消費によって搾取されています。勤め人の平均的な生涯年収は2～3億円ですから共働きなら合計5億円前後で余裕ですし、稼ぐのが一人だったとしても、質素に暮らせば新中間層（普通のホワイトカラー）だって定年になる頃には「準富裕層（金融資産5千万円以上持つ人）」や「億り人（総資産1億円以上持つ人）」になれたはずです。しかし、その多くの人々は、広告に騙されて無駄なお金を使ったせいで、人によっては定年になっても2000万円の預金がないと嘆いています。

勤め先や退職時の肩書によりますが、大企業や公務員の退職金は平均すると今のところ2000万円前後はあるので、定年後に2000万円の資産がないとしたら、彼らが、如何に暮らし方が下手だったか、それにより消費で搾取されたかが分かります。

彼らは何に搾取されたのでしょう。一生をかけて搾取され続けたのですから、無駄な消費は様々ですが、その代表は「住居」「自動車」「アルコール・ハラスメント」と考えます。これら三大無駄遣いがなければ、定年を迎えた新中間層は大抵、「準富裕層」や「億り人」に届いていたはずです。

●「新築」購入は最大の無駄遣い

三大「搾取」消費が、それぞれ如何に無駄だったかを見ていきましょう。

何といっても最大の搾取消費＝無駄遣いは、新築一戸建や新築マンションの購入です。新築物件は、建築するためにかかった費用（原価）に、建築業者の利益や広告費用、営業費用が足されます。そのため、ほとんどの物件が、買った翌日にその不動産の価格が２割前後下がります（不動産業界では下がった分を「新築プレミアム」と言います。要するに「無駄に高い」事実を業界が認めているのです）。

新築不動産は「値打ち以上の価格で買わされている」典型ですが、なかでも酷いのが、「投資用ワンルーム」物件です。何故なら他の新築と比較して「営業費用」が多額だからです。医師や弁護士など裕福な自営業の人や、大企業や官公庁など安定した収入が予測できる人には大抵、数回は電話がかかってきたのではないでしょうか。その電話をしている営業マンの人件費も物件に組み込まれているので、新築ワンルーム物件の平米単価はファミリー物件より高いのが普通です。ファミリー物件さえ新築プレミアムが無くなれば2割前後価格が落ちるので、新築ワンルームの場合、購入後数年で半値になる物件も少なくありません。

ただ、投資用ワンルームは経済的に余裕のある人が対象だったので、国民の傷は大きくありませんでした（ワンルーム投資で破産する人は今もいますが）。日本全体を貧しくしたのは「ニュータウン」です。昭和時代には新婚時代に「ニュータウン」という名の田舎に新築マンションを買い、子どもができたらそれ以上のド田舎の「ニュータウン」に新築一戸建てを買うのが、サラリーマン達の夢でした（今から思えばまさしく「悪夢」でした）。

彼らは、自分達の年収の数倍の不動産を買うために数十年のローンを組み、定年前後までお金を返し続けたのです。こうして建築業者、不動産業者、銀行に搾取された人達から、生涯賃金の1割に満たない2000万円を残せなかった人が多発した、それが令和時代の現実です。

彼らが一生をかけて買った「ニュータウン」の物件は、今、何円くらいになったのでしょう。

「ニュータウン」不動産の価格が買った値段より低額になっているのはどこも同じですが、悲惨さは地域によって異なり、都心から遠ければ遠いほど悲惨度は増します。不動産が断トツ高額な首都圏でさえ、副都心（新宿、渋谷、池袋）に急行で小一時間かかる物件だと徒歩圏でも一戸建で１０００万円台、マンションなら数百万円で購入可能ですし、バス便だと売ることとさえ困難です。

時給１０００円の一人暮らしの方が真面目に働き質素に暮らせば、年間50万前後は蓄えられます。フリーターが10年働けば首都圏の中古マンションを、20年働けば中古一戸建てをキャッシュで買えます。ただし、この手のニュータウンは、そこで育った息子・娘は帰ってこないのですでに高齢者だらけです。そこに住む方々はまもなく天に召されるので20年後には「廃墟タウン」になるか、外国人集団団地になる可能性が高いので購入をお勧めはしません。

●タワマンは第二の「ニュータウン」

令和の中高年を「一生ローンを払わせて貧しくした」のが「ニュータウン」だとすれば、令和の若者に「一生ローンを払わせて貧しくする」のはタワーマンション（いわゆるタワマン）だと予測します。タワマンは、都心に貧困層が集まり人口密度が減少する「ドーナツ化現象」が酷いアメリカで流行した建物です。

古いアメリカ映画を見れば分かりますが、あの国で経済的に成功した人達は郊外の邸宅で暮らすのが常識でした（戦後、それを真似し、新中間層を「自分は成功者だ」と勘違いさせて無駄金を出させたのが日本の「ニュータウン」です）。その結果、都心付近には郊外に行けない貧乏人だけが残ってしまい、地方税が入らず自治体は破産し、街は汚くなり、犯罪が多発しました。これが20世紀の欧米諸国で起きた社会問題＝ドーナツ化現象です。

ところが、都心に皇室がお住まいになる日本には、ドーナツ化現象は起きませんでした（唯一、大阪で起きたという説もあります）。それどころか政府が皇室に敬意を払っていた昭和時代には「皇室を見下ろしてはならない」と、千代田区に高層ビルを建てることさえ許されませんでした。日本の高層ビル群が都心ではなく副都心新宿にできたのは、これが理由です。東京駅前に高層ビルを建てようとした超人気企業が同じ理由で高さ制限を受けたという都市伝説が、昭和時代の就活学生の間ではささやかれていました。

しかし、政権に親中派が増えたせいか、利権が恋しくなったのか、平成時代になると皇室を見下ろすビルが建築許可されるようになります。それでも当初は企業ビルだけでしたが、今では千代田区にタワーマンションが建つ時代になりました。

数億円する千代田区のタワーマンションが、将来「ニュータウン」のように暴落するとは思えませんが、その他の地域のタワーマンション。都心でも首都圏でもないのに建てられたタワーマンションは、いつか現在の「ニュータウン」の住宅のように、住宅ローン残額よりもはるかに低い額でしか売れない物件が多発することでしょう。

タワーマンションは他の物件と比較して、売却額に占める地価（比較的値段が下がりにくい）よりも建物価格（日々、値段が下がっていく）の率が高いのですから、少し頭を働かせれば他の不動産よりも価格低下しやすいなんて、小学生でも分かるはずです。

●都会で自動車はそもそも不要

それでも、衣食住は生活には不可欠なので不動産はマシかもしれません。都会の自動車に至っては、そもそも必要性がないのにもかかわらず、多くの人々が見栄のために購入しました。還暦を過ぎた私が若かりし頃は、（当時の）若い女性が平気で「彼氏にするなら、クルマは○○に乗っている人がイイ」と話していました。幸い私は自動車どころか免許も持っていなかったので、そのタイプの女性と付き合わずに済みました。若い頃から禿げ始めていたし、身長も１７０cmに届かなかったお陰で、男を容姿だけで評価する女性とも付き合わずに済みました。

人は自分にないモノを求めると言います。所有自動車で男を評価する女性が育った家庭は、大した車も買えない家庭だったのでしょう。容姿だけで男を評価する女性は大抵ご自身の容姿に自信のない方でした。そのお陰か、何も持たない私と仲良くしてくださった珍しい女性は、お金持ちのお嬢様や容姿の美しい方ばかりでした。つくづくモテなくて良かったと思います（笑）。

話を自動車に戻しましょう。

昭和時代は、珍走団にも普通に彼女がいた時代でした。田舎では自動車が必要なので、今でも若い男性が何に乗っているかというのがモテ・ファクターだそうですが、東京では、彼女やセックスフレンドを「とっかえひっかえ」して遊んでいる若者達が、自動車どころか免許さえ持っていない時代になりました。

自動車は日本の重要な産業なので、売れなくなれば良いとは思いませんが、収入が並なのに若い頃にモテたくてベンツやＢＭＷなど海外ブランドの新車を購入した人達が、中高年になって預貯金が無いのは誰が見ても自業自得です。彼らも消費で「搾取」されたのです。

必要な時に必要なレベルの自動車を合理的な価格で購入する。そんな当たり前が出来れば、新中間層が２０００万円問題で嘆きはしなかったはずです。

●２０００万円問題のウソを暴いたメディア

不動産と自動車のせいで、金融資産ゼロで定年を迎えた方、迎えそうな方もご安心ください。そもそも２０００万円問題はウソだからです。65歳以降、厚生年金をもらえる方は２０００万円なんて無くても余裕で生きていけます。何故なら、２０００万円問題の根拠が霧消したからです。

テレビでは地方放送ですが、北海道文化放送（北海道のＴＶチャンネル）が放送していましたし、ＡＲＵＨＩマガジンというネットメディアでもファイナンシャル・プランナーの菱田雅生氏による『コロナ禍でスッと消えた「老後２０００万円問題」、いまはどう考えるべきか』という丁寧な記事がありました。それによると２０００万円が騒がれたのは、

図表5　高齢者の支出

	実収入額（月額）	実支出額（月額）	差額（月額）	差額（年間額）	差額（30年間）
2015年	213,379円	275,705円	▲62,326円	▲747,912円	▲22,437,360円
2016年	212,835円	267,546円	▲54,711円	▲656,532円	▲19,695,960円
2017年	209,198円	263,717円	▲54,519円	▲654,228円	▲19,626,840円
2018年	222,834円	264,707円	▲41,873円	▲502,476円	▲15,074,280円
2019年	237,659円	270,929円	▲33,270円	▲399,240円	▲11,977,200円
2020年	257,763円	259,304円	▲1,541円	▲18,492円	▲554,760円

（https://magazine.aruhi-corp.co.jp/0000-4514/　菱田雅生氏が総務省統計局「家計調査年報（家計収支編）」より作成）

単に夫65歳以上、妻60歳以上の無職世帯の平均収入から平均支出を引いて月5万数千円の赤字が出るとし、それに30年分を掛けたら2000万円という数字が出ただけでした。

金融庁は、最初はこれをネタにして「これからは投資が大切」という空気を創り、証券会社、保険会社、銀行などに恩を売り天下り先を維持したかったのでしょう。ところが、左翼メディアは、このネタを政府叩きに使いました。それだけのことです。人並みの厚生年金をもらえる人は老後破綻などしません。

興味深いのは、菱田雅生氏が高齢者の支出が減少した理由を「コロナ渦」に求めていた点です（図表5）。

●コロナが助けたアルハラ被害者

新型コロナが助けたのは、無駄遣いしがちの高齢者だけではありません。多くの会社でアルコール・ハラスメント（以下「アルハラ」）にあっていた若者も助けてくれました。不動産や自動車と異なり誰が搾取して、誰が得をしたのかは不明ですが、明らかに無駄な消費だったのは、社内の飲み会強要、いわゆる「アルハラ」です。

20世紀後半、日本企業がアメリカに進出したお陰でセクシャル・ハラスメントという文化が輸入できました。当時の日本企業は自信満々で、アメリカで採用した女性たちにも日本でしていたのと同様、仕事が終わった後に一緒に酒を飲むように強要しました。その上、若い女性社員を管理職の横に座らせ、コップが空になる前にお酒をつぐように要求したのです。そんな文化を持たないアメリカ女性達は、「『ゲイシャ（芸者）』をさせられた」と裁判所に訴え、一人数千万円とも一億ともいわれる示談金を取ることに成功しました。

これが、日本企業が様々なハラスメントに気を付けようとしたきっかけです。

多くの企業が社員にセクハラ研修をさせたら、「そんなレベルでハラスメントになるなら、わが社の上司の態度はもっとひどいハラスメントだ」という声が上がり、パワー・ハラスメントという和製英語が誕生しました。そこから様々なハラスメントが生産され、今では仕事が終わった後に部下や後輩に酒を付き合わせる行為まで「アルコール・ハラスメント」と呼ばれるようになりました。

都庁に入る前から組織内の上昇志向が消えていた私は、新人時代から上司・先輩のアルハラは拒否しましたが、昭和時代にそんな態度は超少数派だったため、不愉快な顔をする上司や先輩も大勢いました。しかし、同期や同僚、別の役所や企業に行った友人・知人を見ていると、私達の世代はつくづく「アルハラ」で無駄な金を使わされたと感じます。

今では考えられませんが、酒好きな上司や先輩と同じ職場になると週数回（事実上）酒に付き合わされることがありました。その費用を誰が負担するかは、営業費用から出す会社、上司や先輩が若手におごる会社、割り勘の会社など企業により異なりました。最後のタイプの場合、手取りが月20万円に満たない若手社員が酒代を数万円使うなんて悲劇が起きました。

このバカバカしい無駄遣いが、新型コロナを機に収まったのです。

欧米よりも死亡率がはるかに低い日本で、新型コロナに大騒ぎしたのは「陰謀」の可能性があると思いますが、コロナパンデミックが始まってアルハラが激減したのはプラス効果です。ただ、これにより、家族から嫌われ、親しい友もいないので部下や後輩と酒を飲む時しか自分に居場所はないと気づいた中高年も少なくありません。

そんな中高年のアルハラ再発を許してはいけません。今後、日本企業がアルハラに対してもセクハラ、パワハラ並みに敏感になることを願いたいところです。

●衣食住が充実する日本の貧困層

ここまで見たように現代の格差社会は、問題ではないのです。

「衣」は、ユニクロやGUなら余裕で「しっかりとした」服が買えます。流行を追いたければＺＡＲＡで最新の衣服も購入できます。

「食」は、飢えどころか月に1～2万円かけて自分で料理すればカロリーを十分得られます。むしろ糖尿病にならないようにカロリーを抑える必要がありますが、スーパーで「もやし」「白菜」「キャベツ」など安価な野菜を選べば、野菜をお腹一杯食べられます。一部の左翼が言いふらすように「貧しいから糖尿病になる」のではありません。怠けて外食をしすぎ、コンビニで栄養バランスの悪い弁当ばかり買って食べるから糖尿病になるのです。

「住」も少子高齢化のお陰で千代田区や中央区、港区など東京都心を除けば、先に示した通り生活保護受給者でも余裕で暮らせます。「相対的貧困」該当者は、生活保護受給者以下の可処分所得しかありませんが、その代わりに預貯金も自由ですし、家賃が安ければ安いだけ他の支出に使えます（生活保護の場合、家賃が安くても受給上限額との差を生活費に回すことは違法です）。若者に流行しているルームシェアをするとか、風呂なしの激安物件に住んで近所のスポーツジムに入ってシャワーを確保するなど、貧困から貯蓄して這い上がる手段はいくらでもあります。後の手段ならトータル3万円（家賃2万円＋スポーツジム1万円）で千代田区、中央区、港区に住むことだって可能だし、体を鍛えて糖尿病を予防するというオマケまでついてきます。

●新品の美しさに騙されるな

「住」については、安い賃貸アパートに住むのも手ですが、中古マンションを買う手もあります。

地方都市のワンルームなら500万円も出せば選び放題です。新築の時とは逆に同じようなマンションでも、中古になるとファミリー物件よりもワンルーム物件の方が、坪単価が安いのです。

新築不動産は「搾取」とまで批判するのに、何故、中古不動産は勧めるのか。理由は以下の通りです。

（1）新築物件の数十年後は予測困難だが、中古物件の数十年後は予測しやすい。

同窓会に参加すれば実感できるでしょうが、10代の時に素敵だった人が残念になっているなんて事はザラに起きます。しかし、40代で素敵だった人は50代になっても60代になっても素敵です。男性の勤め人の場合、肩書が無くなって一気に残念になる人もいますが、女性の場合（個人的経験ですが）中高年以降の人間的魅力はほぼ一定です。不動産もこれと同じで、中古物件は管理状態をチェックできるので数十年後の予測が容易ですが、新築物件が数十年後に素敵なままか残念になるかは予測困難です。

とりわけマンションの場合、管理状態のチェックは簡単で、「管理費」と「修繕積立金」を比較すればダメな物件はすぐ分かります。買って後悔する代表のリゾート・マンションなどは、大抵「管理費」が無駄に高いのに対して「修繕積立金」が激安です。都会で管理状態の良い物件は、その反対で「管理費」は高くないけれど「修繕積立金」が高かったりするのです。

（2）新築物件ではその売買で誰が何円儲けるか不明だが、中古物件では全員の取り分が明確です。

新築物件の広告で、

「この物件は反社系のA組が総額○○円で土地を仕入れ、B建設が○○円の経費で建物を建て、C不動産がそれに○○円の儲けを乗せ、D広告社に○○円で広告を依頼し、テレビや新聞に○○円支払って広告してもらって売り出しました。それゆえ、購入者からは総額○○円欲しいので、1部屋○○円で売っています」

と記載された例を1例も知りません。

あなたが新築物件を買った結果、誰が何円儲かるかは永遠に不明なのです。

これに対し中古物件は、売買を仲介した不動産屋が何円受け取るか（基本は売主・買主の双方から売買価格の3％＋6万円を受け取ります）、登記に何円程度かかるか、司法書士は何円程度取るか（やる気になれば自分で登記可能です）、銀行に払う利子がいくらになるか（可能なら現金で購入することをお勧めします）など全てが透明です。

今はあまり聞きません（表に出なくなった？）が、企業ビルやマンションのための土地購入に反社会的勢力が関わっていた事例は少なくありません。バブル時代には「ヤクザが地上げした後には何故か『○○不動産』の物件が売られている」という都市伝説もありました。

左翼が本気で「搾取」を嫌悪し、経済的弱者を守りたいなら、あるいは経済的弱者を生みたくないなら、「○○ニュータウンに住むのはやめましょう」「○○マンションを買ってはいけません」と声を上げるはずですが、そんな例を一件も知りません。それどころか、酷い左翼有名人になると新築不動産の広告に出ていたりします。彼らを人間のクズと呼ばずして誰がクズでしょう。

（3）新築物件の方が、相場価格の低下率が大きい

先ほども書いたように新築物件は、購入の翌日に「新築プレミアム」が無くなりますが、中古の場合、プロの内装に騙されない限り相場で購入できます。相場で購入した物件は、翌日から相場で売りに出すことが可能です。新築と中古では価格の低下率が全く異なるのです。

●課題は障碍者と子ども

貧しくても余裕で暮らせる日本。でも課題はゼロではありません。最大の課題は、他国と比較した際に、日本は相対的貧困国家なので土地や日本企業の株を買いあさられ、日本人が他国の奴隷になる事です。

そのほか、人々の暮らしでも問題はあります。自由社会は同時に競争社会ですから、個

人的なハンディキャップを持つ障碍《しょうがい》者と毒親というハンディキャップを持つ子どもをどうするかです。競争社会だからこそ彼らハンディキャッパーを支える必要があるのです。

ところが、裕福だった日本は、自己責任で貧しくなった高齢者と、ハンディキャップを持つがゆえに豊かになれなかった人達を「生活保護」という同じ制度で守ろうとしてきました。政府も左翼政党も、その点は同罪です。

日本一生活保護受給者率が高い大阪では、三世代続いて生活保護をもらうなんて一族が出てきています。彼らの能力は、市役所に行っていかに上手に担当者を納得させるかに使われています。大阪生まれ大阪育ちの私としては、高すぎるモラルに縛られて外国人と戦えない日本人の中で、大阪人は数少ない「外国人と商いで戦える日本人」だと信じていて、その能力が日本のGDPを復活させる能力に使える日が来ることを密かに期待しています。

自業自得で貧しくなった高齢者への福祉と最初からハンディキャップを有する障碍者への福祉は、基準を変えるべきです。前者は「今からでも頑張って働いてここを抜け出したい」と感じる水準、すなわち相対的貧困以下に抑えるべきです。これに対して、後者はハンディキャップを持って生まれた事を悔やまないレベル、すなわち現状の生活保護よりははるかに高くして、日本の平均値に近づけるべきではないでしょうか。

子どもの貧困については、お金で解決すべきではありません。お腹いっぱいご飯を食べられない子どもの親は、金の使い方そのものが間違っているからです。そんな親への支給額を上げたらパチンコ代が増えるだけです。その意味で大阪市の塾代助成事業は、素晴らしい政策でした。「でした」と過去形にしたのは、今ではYouTubeで塾を上回るレベルの授業が受けられるからです。私の若き知人はYouTubeの授業だけで、余裕で京大に現役合格し、そこでも好成績&親貧困を理由に授業料ゼロで学び続けています（個人的には「彼が京大に行くのはもったいない」と思い、「関西人の君が思っているよりも世間の東大と京大の評価格差は大きいぞ」と語りましたが…）。

親が勉強の邪魔になるような家庭に生まれた子ども達に大切なのは、勉強ができる環境の確保です。公立学校をＷｉＦｉ使い放題にして、特定の教室に夜〇〇時まで残りYouTubeの授業を聞き放題にする。使う道具は学校のＰＣでも自分が持つ携帯のどちらでも良い。首長が判断すれば、明日からでもできる制度です。塾代助成事業と違い、ほとんど費用（私たちが払う税金）がかかりません。

２０２０年代は、貧しい子どもの勉強環境を簡単に創造できる時代になったのです。それをする政治家がいない事こそ、日本が世界に劣っている点ではないでしょうか。

【資料】

ユダヤ教の十戒（出エジプト記）

神はこのすべての言葉を語って言われた。

「わたしはあなたの神、主であって、あなたをエジプトの地、奴隷の家から導き出した者である。

①あなたはわたしのほかに、なにものをも神としてはならない。

②あなたは自分のために、刻んだ像を造ってはならない。上は天にあるもの、下は地にあるもの、また地の下の水のなかにあるものの、どんな形をも造ってはならない。それにひれ伏してはならない。それに仕えてはならない。あなたの神、主であるわたしは、ねたむ神であるから、わたしを憎むものは、父の罪を子に報いて、三四代に及ぼし、わたしを愛し、わたしの戒めを守るものには、恵みを施して、千代に至るであろう。

③あなたは、あなたの神、主の名を、みだりに唱えてはならない。主は、み名をみだりに唱えるものを、罰しないでは置かないであろう。

④安息日を覚えて、これを聖とせよ。六日のあいだ働いてあなたのすべてのわざをせよ。七日目はあなたの神、主の安息であるから、なんのわざをもしてはならない。あなたもあなたのむすこ、娘、しもべ、はしため、家畜、またあなたの門のうちにいる他国の人もそうである。主は

六日のうちに、天と地と海と、その中のすべてのものを造って、七日目に休まれたからである。それで主は安息日を祝福して聖とされた。
⑤あなたの父と母を敬え。これは、あなたの神、主が賜わる地で、あなたが長く生きるためである。
⑥あなたは殺してはならない。
⑦あなたは姦淫してはならない。
⑧あなたは盗んではならない。
⑨あなたは隣人について、偽証してはならない。
⑩あなたは隣人の家をむさぼってはならない。隣人の妻、しもべ、はしため、牛、ろば、またすべて隣人のものをむさぼってはならない」

出エジプト記20 新共同訳『聖書』（番号は著者記入）

カソリックの十戒

わたしはあなたの主なる神である。
①わたしのほかに神があってはならない。

②あなたの神、主の名をみだりに唱えてはならない。
③主の日を心にとどめ、これを聖とせよ。
④あなたの父母を敬え。
⑤殺してはならない。
⑥姦淫してはならない。
⑦盗んではならない。
⑧隣人に関して偽証してはならない。
⑨隣人の妻を欲してはならない。
⑩隣人の財産を欲してはならない。

カソリックでは第2戒の偶像を作ることの禁止令を、第1戒に含めてごまかします。そのままでは十戒にならないので、第10戒の貪欲の禁止令を2つに分離し、隣人の妻を欲しがってはならないという命令を単独で第9戒にしたのでした。私は、このカソリックのウソこそが、欧米人が必要以上に婚外性行為を嫌う理由だと考えます。

ちなみに、カソリックのウソが許せなかったプロテスタントは、十戒を原典に戻しています。

第4章　専業主婦はNEETです

専業主婦はＮＥＥＴです。これは、私見でもネット内の意見でもありません。ＯＥＣＤ諸国がいうＮＥＥＴと日本政府が使う「ニート」は異なる概念であり、専業主婦もＮＥＥＴと考えるのが国際標準です。本章では、その理由を見ていきましょう。

●経済発展から取り残された日本

日本のメディアが、令和時代になって平成よりも良くなった点は、世界の経済発展から日本だけが取り残されている現実をしっかりと報道するようになったところです。国のＧＤＰで中華人民共和国に抜かれる２０１０年までは、日本のメディアは普通に「ＧＤＰ世界第２位の日本」と自国を紹介していたし、中華人民共和国に抜かれてからも、当然のように「ＧＤＰ世界第３位の日本」と言っていました。こうして自分達を経済大国だと信じている間に、１人当たりＧＤＰが欧米諸国よりも高かった日本は、アジア内トップでさえなくなったのです（２０２０年代の日本はシンガポールの約半分しかありません）。

ソ連が崩壊した１９９１年には、アジアで断トツ１位だったのはもちろん、アメリカ、ドイツ、北欧諸国などよりも１人当たりＧＤＰが高かった時代が今では夢のようです。どうして日本だけが30年間、発展から取り残されたのでしょう。

「歴代政府の経済政策が無能だったから」

「少子高齢化により消費が伸びなかったから」

「日本の経済界が既得権益を守るためにIT業界の発展の足を引っ張ったから」

「ソ連崩壊により東西対立が無くなり、各国の経済競争が次のテーマになったから」

など様々な主張がされており、おそらくは一つ一つに正しさがあるし、それら全体により日本が成長しなかったのだと思います。

私は、それらに加えて、明治国家以降、欧米を真似た「男女差別」思考から日本だけが抜け出せなかった事が、欧米に引き離された大きな要因ではないかと考えます。

●近代国家における「男女差別」は当然だった

日本の中学高校の社会科では教えません（酷い大学では政治学の中でさえ教えません）が、参政権が国民に平等に与えられたのは、金持ちだけでなく庶民も戦争に命を捧げたからです。これは古代ギリシアのデモクラシーも近代国家成立後のデモクラシーも同様です。

今日のような大衆社会（所得に関係なく参政権を持つ社会）が成立する以前は、国家運営に必要なお金を提出していた人々、すなわち多額の税金を払っていた人にしか参政権はありませんでした（このような社会を市民社会と呼びます）。しかし、戦争に必要な兵士を傭兵から徴兵に替えると、平和時も参政権をよこせと主張する庶民の要求に政府は応えるしかなくなります。こうして欧米で普通選挙が定着していったのです。命はお金よりも大切なのですから当然です。

ですから、参政権が与えられたのは徴兵対象となった男性だけでした（古代ギリシアは最後までそうでした）。男性にだけ選挙権が与えられた「近代デモクラシー国家の誕生」と「男女差別」は切り離せなかった。これが真実です。

●男女平等をもたらした世界大戦

では、どうして女性にも参政権が与えられたのでしょう。それは第一次世界大戦、第二次世界大戦によって戦争が国民全員で戦う巨大イベントになったからです。当時の軍人や政治家の想像を超えた大規模な戦争は、軍事力だけでなく生産力、気力（愛国心）、教育力など「国力」全てで競う争いになりました。それを実感したイギリス、オーストリア、ソ連は第一次世界大戦が終了した1918年に早々と女性に参政権を与えましたし、ドイツ、オランダ、ポーランド、スウェーデンなどもそれに続き（1919年）、1920年にはアメリカも全州で女性に参政権が与えられました。

第一次世界大戦に参加はしたけれど、戦争における女性の重要性に気づかなかったのでしょうか。フランス、イタリア、日本は第二次世界大戦が終了する１９４５年前後まで女性に参政権が与えられませんでした。

「参政権と戦争時の存在価値は切り離せない」

これを証明するのが、ヨーロッパのど真ん中にありながら両方の世界大戦に参加しなかった「永世中立国」スイスです。この国の女性に参政権が与えられたのは１９９１年でした。

戦争を肯定する気持ちはサラサラありませんが、男女平等をもたらしたのは二度の世界大戦である事実から目を背けては真っ当な議論ができないと考えます。まぁ、日本人を真っ当な議論のできない人間に洗脳することこそ、戦後日本教育の目的なのですから当然ですが。

●徴兵も男女平等の時代？

戦争と男女平等が切っても切れない関係だという真実から目を背けない国々では、「徴兵も男女平等にすべき」という動きがあります。

立国当初から男女平等の徴兵制があったのは、第二次世界大戦後に誕生したイスラエルです。その後、世界は（少なくとも先進国は）米ソの核兵器競争という「冷戦」のお陰か、男女平等に徴兵という動きはありませんでした。それどころか、徴兵制そのものを停止するのが最近までの世界の流れでした。

しかし、東ヨーロッパ諸国の内戦やロシア・ウクライナ戦争を見ればわかるように「冷戦」と呼ばれた時代は「冷たい平和」でした。ソ連崩壊により、その「冷たい平和」が終わったのです。そのせいか、徴兵制を復活させる国が増えています。それに合わせて女性も男性と同様、徴兵の対象にする国が出てきました。

具体的に女性徴兵を始めたのは、ノルウェー（2015年）、スウェーデン（2018年）です。フィンランドは今のところ徴兵対象は男性だけで女性は志願制ですが、男女平等の徴兵制度を提案する政治家は少なくありません。

ウソをつく詐欺師は2流で、都合の良い事実だけを話して相手を勘違いさせるのが一流の詐欺師です。「日本はジェンダー差別の酷い国だ」「女性差別の国だ」と主張する人が、男女平等問題で現在の流れを隠すとすれば、彼ら（大抵は左翼）はその点だけは「一流」

かもしれません。

●「男尊女卑」のまま日本は沈むのか

日本はそもそも徴兵制を採用していないので、真面目に男女平等を議論したいのであれば、徴兵制における男女平等という世界の流れも隠す必要はないはずです。にもかかわらず、それを隠すのは日本で男女平等を強烈に主張する人達＝フェミニストは、日本沈没を望む左翼の成れの果てだからです。

明治国家以降、戦前戦後を通じて日本の政府が作った「男女不平等」「男尊女卑」は、今では日本の沈没スピードを上げる悪制だと考えます。その代表は専業主婦優遇の年金制度や法制度でしょう。『税をむさぼる人々』（拙著）で詳細を書きましたが、サラリーマンや公務員の配偶者が専業主婦（主夫）だった場合、彼女（彼）の年金資金を払っているのは、彼女でも彼女の夫でもありません。彼女達以外の働く人々が全員で背負っているのです。これほど酷い制度を作ったのは、戦前でも戦中でも戦争直後でもなく高度成長期も終わった時にできた中曽根政権でした。

故中曽根元総理は、愛国者のフリをして、既に時代遅れだった「男尊女卑」を制度化し、日本を沈没させた真犯人です。

　誰がどのように生きようが自由ですが、赤の他人の専業主婦を他の働く人が支えるなんて、あってはならない制度です。日本のＧＤＰが伸びない理由は様々ですが、長期的には労働人口の減少が最大要因です。その流れを止める方法は、中長期的には少子高齢化対策しかありませんが、短期的には専業主婦に労働市場に戻ってもらうことが重要です。

　令和時代の専業主婦は、年老いたニートです。洗濯機、食器洗浄機、掃除機など様々な家電製品が登場し、１世帯の人数はどんどん減少し（平均３人を割っています）、家計簿をつけるアプリまで登場したのに家計簿をつけない。その上、学びもしない、夫から「パートでも良いから」と言われても仕事を探さない、職業訓練にも行かない。そんな人をニート＝ＮＥＥＴ（Not in Employment, Education or Training）と言わずしてなんと呼べばよいのでしょう。

　もちろん、税金上夫の扶養家族になっていても「働く人」はＮＥＥＴではありません。彼女の給料が低いのは、日本の「終身雇用」「年功序列」の結果であり、一度「寿退職」した女性は、同じ企業でも高い給料で働くのが困難だからです。再就職で高い給料を得るためには、大抵の場合は資格が必要です。

国民みんなで働かないと日本は沈むだけですが、皆が働く気になるためには、
①定年退職した男性が家庭内で偉そうにできる
②若い女性が一生働かずにすむ「専業主婦」という名のＮＥＥＴに憧れる
③①②の大前提になっている「男尊女卑」という価値観

これらを叩き潰すべきだと考えます。

「男尊女卑」という価値観が日本の足かせになる証拠に、普段はうるさい偽フェミニスト（実は極左）が、専業主婦を否定せず「時給○○円で評価すると高給な仕事」「夫がそれを払えないだけ」といったウソで、その生き方を守ろうとすることです。

●「専業主婦」はＮＥＥＴです

若い専業主婦をＮＥＥＴと呼ぶのは、今では世界標準です。

このように言うと「女性差別」とか「専業主婦差別」と騒ぐ左翼が出てきそうですが、ＯＥＣＤ統計ではしっかりと若い専業主婦は、ＮＥＥＴに含まれています。なぜ中高年の専業主婦がＮＥＥＴに含まれないか、あるいはＯＬＤ ＮＥＥＴと呼ばれないかと言えば、ＮＥＥＴが若者対策として出てきた言葉だからです。

NEETは「Not in Employment, Education or Training（働きもしなければ、学びもしない、職業訓練さえしない）」の頭文字をとって造った言葉で、イギリスの労働党政権（首相はブレア）の時代に新設された社会的排除防止局（Social Exclusion Unit）の1998年の調査報告書の中で初めて使われた言葉です。

最初のNEETは、「働きもしなければ、学びもしない、職業訓練さえしない」16歳から18歳の若者を指しました。当時のイギリスの義務教育は16歳まででしたが、義務教育を終えても次の学校に通わず、仕事にも就かない、職業訓練学校にも行かない若者が多くおり、ブレア政権はそれを重要な政治課題としました。

米ソ冷戦の終了を「平和の到来」ではなく、日欧米間の「経済競争が激化」と見抜いたイギリス労働党政権は、自由競争の名で働かない若者を放置していたイギリス保守党政権の従来の政策ではダメだと考えたのです。同じ「左」でも3年数カ月（2009~2012年）で日本経済を地獄に叩き落した日本の左翼政権（民主党政権）とは雲泥の差でした。

何もしない若者を社会問題と捉えるイギリス労働党政権の対応にOECD諸国も共鳴しましたが、国により義務教育年齢が異なるため、全体のデータを取るために年齢の幅を広げ、今では「15~24歳（場合によって15~29歳）で、働きもしなければ、学びもしない、職業訓練さえしない」人をＮＥＥＴと呼ぶようになったのです。

●右も左も「NEET」の味方？

日本もＯＥＣＤ諸国の一員です。また、ニートはイギリスのように自ら提案した概念ではありません。ですからニートをＯＥＣＤ標準のＮＥＥＴに合わせるべきと考えますが、日本政府（厚生労働省）は、「ニート」を「仕事に就いておらず、家事も、通学もしていない15～34歳までの人」と定義し、全く別の人々の調査を開始しました。家事を専業とする主婦をニートから除外し、対象年齢をＯＥＣＤよりさらに５～10歳上げたのです。その上で、日本は国内外に「日本はニートが少ない」と言い張っています。

何故、ニートから専業主婦を外す「ウソ」が日本で許されるのでしょう。それは専業主婦という名のニートを守ることが、左翼と保守政党、双方の利害に一致するからです。

共産主義は本来、全員に労働させようという政策を基本とし、ソ連や中国では「専業主婦」は許されませんでした。しかし、「資本主義国家の打倒」「共産党独裁政権の樹立」という大目標を失った左翼は、日本をダメにする事だけが目的になってしまいました。それゆえ、労働者数の減少による日本の低落は喜ぶべき未来です。

これに対して保守系の政党は、「日本の伝統を守る」という建て前を大切にしなければ、得票数が減るので「専業主婦は今ではNEETです。OECDではNEET統計の中に専業主婦も含まれており、それが国際標準です」と事実を語ることができません。しかし、「専業主婦は立派な仕事です。NEETのはずがありません」とウソをつけば、野党や左翼メディアに叩かれるのは目に見えています。そこで、自分たちが有権者に堂々とウソをつくためには、厚生労働省が作る調査データを偽物にするしかなかったのでしょう。

●左翼に都合の悪い本当の「ジェンダー」

ちなみに、OECDが家事労働を専業とする主婦をNEETに入れる理由は、「家事は女性がするもの」というジェンダー意識を是正するためです。家事は男女が協力してするべきだし、夫婦や同棲者が共に家事をし、共に外で稼げば、その家庭が豊かになるだけでなく、国のGDPにも良い影響があるはずです。

日本の悪口のためなら「ジェンダー、ジェンダー」と騒ぐくせに、「専業主婦をニートにカウントしない日本政府のウソは許せません」とは言わない。優秀な女性が家事に縛られれば、日本経済に悪い影響しかありません。だからこそ優劣問わず女性にはなるべく家の中にいて欲しい。それが反日左翼の目的です。

　現代の専業主婦は労働者ではありません。配偶者から搾取しつづけるニートです。左翼は労働こそ重要だと考える思想ですし搾取に対して批判的なのに、「専業主婦」を批判するどころか、専業主婦は〇〇百万円（酷いのになると1千万円）に該当する労働だが、日本男子は低賃金なのでそれを払えないだけという。そんな左翼老女に騙されてはいけません。

　私は、男女平等論者です。男性も女性と同様に家事をするべきだと考えます。家事だけでありません、育児もです。育児については産むことができず、母乳も出ない男性の方が、より大きな労力を割いて初めて男女平等だと考えます（私が初めて書いた本は『早期教育は父親が仕切れ』（東洋出版）１９９７年でした）。

　一方で可能な限り、女性も男性同様に自分の分だけでなく被扶養者分も稼ぐべきと考えます。ここで「可能な限り」と書いたのは日本企業の多くが、先進国の中では最低レベルの男女差別社会だからです。様々な組織に勤める有能な女性達から「無能な男性上司に…。わが社はまだまだ男女差別社会で大変です」という声を聞きました。

　ただし、私は「男女平等」が正しいと考えるのと同時に自由主義者でもあるので、何でも「昔は良かった」と妄想する男性が「男は外で稼ぐ代わりに、女が一人で家事・育児・高齢者介護を全部しろ」と言い従順な配偶者がそれに従って行動するのも、意識高い系の専業主婦が「男女平等なので土日の家事はあなたがしてください。でも、平日の昼間は私だけが家事をやっているので外で働くのは嫌です。お金はあなたが持ってきてください」と主張し、彼女の配偶者がそれに従うのも勝手だと思います。

許せないのは、そういう「男が外で稼ぎ、家の仕事は女がする」という古臭い相互依存的な行動を税制や年金制度が導こうとしている点です。

今の税制では乳幼児を扶養しても、小中学生を扶養しても、義務教育後も学ぶ高校生、大学生、大学院生を扶養しても、ニートを扶養しても控除額は同じです。多くの男性ビジネスマンが、自分の子どもがニートになってもすぐに家から追い出さないだけでなく、配偶者までニートにしてしまうのは、税制に誘導されているからです。また、多くの女性がニートから脱出して働き出しても扶養から外れない額（概ね１００万円以下）分で留まるのも、当然、税制に誘導されているからです。

年金に至っては、先に記したように他のニートにもないメリットが専業主婦ニートにはあります（他のニートは、その分を親が代わって払わないと将来、無年金者になります）。

岸田政権は国民年金の支払期間を40年から45年に伸ばす改悪をしましたが、政権がすべきは専業主婦にも金を払わせる改善のはずです。

左翼が、本当に社会主義を正しいと考えているのであれば、こういった差別制度を批判するべきです。「女性を家に縛り付けようとする税制度や年金制度があるのは、日本政府にジェンダー意識がない証拠だ」と国民に訴えるべきです。

しかし、女性が結婚しても出産しても働き続ける環境が生まれると、優秀な女性達が働きだし、30年間発展しなかった日本が復活するかもしれません。それこそが、彼らが一番嫌う筋書きなのでしょう。

「専業主婦はNEETです」

左翼政党に所属する政治家がこの真実を語れば、その人は信じる思想が古いだけで反日政治家ではないでしょう。

●支配階級と肉体労働に必要だった専業主婦

では、専業主婦を日本の伝統と考えて、この真実を語らない保守政党やそれらを支持する人達はまともでしょうか。彼らは大きな勘違いをしています。

専業主婦は日本の伝統でも何でもありません。

家庭外から報酬をもらわず、家計的には配偶者が得る金銭で家庭を運営する生き方を「専業主婦」と呼ぶならば、近代国家が出来るまで、「専業主婦」は支配階級の特権でした。江戸時代までの武士とそれ以外の人達を想像してください。農家も商家も工芸品を作る家庭も一家・一族全員で仕事をして、外部からの報酬を得ていたのです。対して武士階級の妻は、失業した武士や最底辺を除けば、夫が幕府や藩からもらう報酬で家計を維持するのが仕事でした。

こうした配偶者の在りようは、明治国家が誕生しても急には変わりませんでした。それどころか、欧米諸国と付き合うことで支配階級の妻の忙しさは増します。当時の欧米の支配階級は、配偶者も含めて付き合うスタイルが当たり前だったからです。国家間の交遊会には外交官が妻を連れて行くのが常識でしたし、夫婦で参加するパーティースタイルは巨大な額を貿易する企業同士にも広がっていきました。こうして巨大商社や巨大メーカーの幹部などビジネスエリートの世界も、配偶者を専業主婦にするのが常識になっていきます。

一方、産業革命によって労働が過激になった肉体労働者にも「専業主婦」は必要になっていきます。鉱工業が盛んになりはじめてから高度成長期が終了するまで、炭鉱所や工場の人々は1日10時間以上、週6日働くのが当たり前でした。それゆえ結婚しても家事一切は配偶者にしてほしい鉱工業従業者が多かったのです。

また、戦後は新中間層と位置づけられたホワイトカラー階層の配偶者も「専業主婦」が当然になっていきました。彼女達の意識が「エリートの妻」気取りだったのか、「肉体労働者の妻」と同様夫を楽にさせてあげたかったのかは不明ですが、実態は「社宅同士の付き合い」という新中間層独特の「仕事」がありました。

これらの影響か、多くの会社では「男性社員は結婚して一人前」「女性社員は結婚したら退職」という空気が昭和時代まで残りました。ただそれだけの事です。千数百年（神話も含めれば2千7百年近い）歴史を有する日本にとって専業主婦は伝統でも何でもありません。

●仕事が激減した「専業主婦」

戦前はもちろん戦後も高度成長期（1955～1973）が始まる1950年代までの「専業主婦」は、ニートではありませんでした（そもそも言葉がありませんでしたし、実態も重労働でした）。支配階層は相変わらず配偶者とセットの交遊が盛んでしたし、新中間層と肉体労働者は「月月火水木金金」と歌われるほど（元々これは大日本帝国海軍で歌われたのが始まりと言われていますが）仕事が忙しく、一切の家事をその妻がしていたからです。

また、仕事内容も今とは比べ物にならないほど大変でした。具体的に家事を見ていきましょう。

①炊事

主婦の最大の仕事は炊事でした。今では炊事と聞くと「おかず」しかイメージしませんが、文字通り米を炊くのは大変でした。今のような自動炊飯器が登場したのは、電気式が1955年、ガス式が1957年です。それまでは薪で米を炊いていたのです。薪で米を炊きながらおかずも作る。おかず作りは、都会ではガスが通っていたので田舎より多少は楽でした。田舎と聞くと今では「（高いけれど）プロパンガスがある」と思うでしょうが、日本の家庭にプロパンガスが導入されたのは1953年です。それまで田舎ではおかずも薪で作るしかなかったのです。外食回数が多く、出来たおかずがスーパーで売られている現代の主婦からは、炊事一つが想像もできない重労働だったのです。

②田舎では薪で風呂沸かし

こちらは単純作業だったので、ある程度大きくなった子どもの仕事の家も多かったようですが、風呂沸かしも薪でした。都会の庶民は多くは銭湯に通っていましたが、田舎に銭湯はなかったので、晩御飯の炊事と風呂沸かしの作業は時間的にかぶっていたのです。また、自動で止まる今と違い、沸かしすぎに注意をする必要もありました。

③自動家電の未普及

１９５０年代は洗濯機や冷蔵庫が普及した時代でもあり、この2つに白黒テレビを足して「三種の神器」と呼ばれました。それ以前は、家庭に洗濯機も冷蔵庫も無かったのです。洗濯機がないので家族全員の洗濯を手でしなければならない。冷蔵庫がないので日持ちするおかずを作るか、新鮮なおかずなら家族全員にピッタリの量を作るしかなかった。それが主婦の仕事だったのです。

また、最初の洗濯機は洗う機能しかなかったので、洗濯後は自分で衣服を一つ一つ絞って竹竿にかけて乾かす必要がありました。冷蔵庫に冷凍室は無かったので冷凍品の保存はできませんでしたし、氷は氷屋から別途買う必要がありました。

冷凍室のない冷蔵庫の方が珍しく、乾燥機能まで持つ洗濯機が普及した現在の主婦とは仕事量が全く異なるのです。今は、その上自動掃除機まで存在します。専業主婦は何の仕事をしているのでしょう。

④買い物

フリマやアマゾンなど、ネット内で売買しそれが自宅に届く令和時代と異なり、高度成長期までは買い物も労働の一つでした。スーパーが無かったのが最大の理由です。1つの店舗内で、セルフサービスで肉、魚、野菜、乳製品など様々な品を購入できる「スーパーマーケット」スタイルが日本に誕生したのは、1953年です。明治神宮前駅（現在の表参道駅）前にできた紀ノ国屋が最初でした。場所や店名からわかるように、当時のスーパーマーケットは、ハイソでおしゃれな地域に住む人達だけが買い物のできるおしゃれな場所でした。その他の人は、魚は魚屋、肉は肉屋、野菜は八百屋、乳製品は牛乳屋で購入する必要があり、買い物さえ商店街を歩き回って購入する労働だったのです。

⑤子どもの数や三世代家族の減少

ここまでは単純な仕事量ですが、コミュニケーションやメンタルの面でも令和時代の主婦は楽になりました。1950年代には平均世帯人数が5人前後で現在の倍以上ですから（2020年は平均2・21人）、子どもが今より多いだけではありません。民法が改正され義務も特権もないのに、「長男の嫁は親と住むのが当然」という戦前の空気だけが、戦後も強く残っていました。ここまで見てきたように家事の労働量が多かっただけでなく、長男と結婚するとその家事をチェックする管理職（舅や姑）までいる。その上、育てる子どもも今よりも多い。想像するだけでゾッとするような環境にいたのが、当時の主婦でした。

●どう生きるかは各人の自由

「専業主婦がけしからん」「専業主婦はずるい」と言いたいのではありません。共産主義や国家社会主義（ナチズム）の独裁国家じゃあるまいし、どう生きるかは各人の自由です。しかし、「自由」を維持するためには「機会の平等」が大切と考える本物のリベラリストとして、年金や税金などで配偶者を「専業主婦」にしておくのが有利な制度が不当だと考えるだけです。

自民党（英訳：リベラル・デモクラティック・パーティ）の政権が作り維持する制度が、リベラルでもなければ保守でもないと考えるだけです。それでも、左翼政党よりはマシです。普段から「労働が大切」と言うくせに、「労働」を憲法上の義務にし、都合の良い時は護憲派を気取るくせに、「専業主婦を優遇する制度を改正しろ」と主張しない左翼はクズ中のクズではないでしょうか。

欧米諸国では「専業主婦」は、支配者層や超高額所得者の特権に戻っています。

●OECDに「ニート」データさえ提出しない日本

ＯＥＣＤ諸国は、ＮＥＥＴを大きな社会問題と考え各国が調査を実施しているのですが、直近データから日本が外されていました。ここまで書いてきたようにＯＥＣＤのＮＥＥＴと日本（厚生労働者）のニートは異なる概念ですが、一般にそういう場合は、表のデータを掲載したうえで、表の下に小さく「○○国は、○○の点で定義が異なります」と記すものです。

しかし、毎年「ニート」調査をしているＪＡＰＡＮのデータがないのですから、これは異常事態です。その理由を知りたくて、ＯＥＣＤ日本事務局に問い合わせたら、以下の回答を即答してくれました。

問い合わせ：森口⇒ＯＥＣＤ日本事務局
「ＯＥＣＤ日本事務局　御中
現在、ＮＥＥＴについて調査しております。

ＯＥＣＤのＨＰ（英語バージョン）をみましたら、各国のデータで１つの表になっていましたが、そこにはＪＡＰＡＮがありませんでした。
これはＯＥＣＤのＮＥＥＴと日本（厚生労働省）のニートの定義が異なり、日本はＯＥＣＤのＮＥＥＴに該当する調査をしていない、またはＯＥＣＤにＮＥＥＴ数などの情報を提供していない、からでしょうか？
お忙しいところ恐縮ですが、ご返答いただければ幸いです。」

回答：ＯＥＣＤ事務局⇒森口
「平素よりＯＥＣＤの資料をご利用いただきましてありがとうございます。
日本のＮＥＥＴ率は、以下のサイトに掲載しています。
学歴別：https://stats.oecd.org//Index.aspx?QueryId=117135
地域別：https://stats.oecd.org//Index.aspx?QueryId=117130
ご覧になったウェブサイトがどちらかはわかりませんが、上記のサイトのデータは２０１２年のもので、最近のデータがないため、最新の表などには掲載されていません。

日本からは、最近のデータがＯＥＣＤに提供されていないということだと思います。通

常は、データがあれば定義に多少の違いがあってもそのように注記をつけて掲載します。

以下はEducation at a Glance 2021のＮＥＥＴ率の表ですが、こちらには日本のデータは収録されていません。(https://www.oecd-ilibrary.org/education/share-of-inactive-among-18-24-year-old-neets-by-gender-2020_2dc2f6ab-en)

よろしくお願いいたします。」

※その後、厚生労働省と総務省に情報を提出していない事実を確認しました。

ちなみに私が見ていたＮＥＥＴの表は以下のとおりです。

(https://data.oecd.org/youthinac/youth-not-in-employment-education-or-training-neet.htm)

●亭主関白は死語

なぜ仕事が激減した主婦を専業とする人が後を絶たないのでしょう。女性が楽をしたいだけでなく、未だに「亭主関白」になりたい男性がいるのかもしれません。昭和54年に『関白宣言』という歌が流行しました。この時代、歌の前提になる「亭主関白」(今では死語)は普通に使われていました、一方で左翼の批判対象になりました。

私は、左翼が振りまく偽りの「男女平等」ではなく、本当の男女平等が21世紀のあるべき姿だと考えるので、『関白宣言』や「亭主関白」をかばうつもりはありませんが、「亭主関白」の由来を知れば、左翼の「ジェンダー論」を信じることの愚かさを理解する材料になると考えます。

亭主関白の「亭」は、元々は「物見やぐら」や「物見やぐら」を有する支配者層の邸宅を指す語で、亭主はその建物に住む一族の主人を指す言葉でした（鎌倉時代の公家である藤原定家の日記『明月記（１１８０～１２３５）』にはその意味で使われているそうです）。

室町時代に書かれた『徒然草』には、

「その座には、亭主夫婦、隆辨僧正《りゅうべんそうじゃう》、主方がたの人にて座せられけり。」

現代語訳は、

「この宴席の場には、主人（ここでは足利義氏）夫婦の他に、隆弁僧正が出席して座っていた。」

と使われています。

これは、足利義氏が鎌倉幕府の執権・北条時頼をもてなす場を表した文章でしたが、亭主には「一家の長」という趣旨と同時に「もてなす人（主役）」という意味も含んでいます。

茶道では今も亭主を「もてなす人（主役）」という意味で使っていて、お茶をたてて正客（上席に座る人）に道具、抹茶、菓子の銘や茶会の趣旨の説明をする人を指し、女性も「亭主」になります。

江戸時代になると「もてなす人」という意味の「亭主」が、支配者層や茶道以外にも使われるようになったことが、次の蕪村の句から分かります。

蕪村「ふぐ汁の亭主と見えて上座哉」

フグは死ぬリスクがあるので江戸時代の武士は食べることが禁止されていました。被支配者層の食べ物だったのです。そこで、ふぐ汁で行う宴会で主催者が上座に座ったのを冷やかしたのでしょう。一方で「偉そうにする夫」という現代的意味も生まれていたようです。

松尾芭蕉「おもしろき秋の朝寝や亭主ぶり」

●ステイタスで調整？

いつから茶道を除いて現代的意味だけになったのでしょう。幕末生まれの三遊亭円朝が書いた『塩原多助旅日記』では夫の意味だけで使っているようです。

「此女は国から連れて来たのではない、江戸で持つた女か知れない、それは判然分らないが、何しろ薄情の女だから亭主を表へ突き出す。」

また、泉鏡花の『みつ柏』でも「夫」という意味だけで使われていることから、明治期には教養のある人達も、この意味だけで使っていたと推測します（ちなみに「みつ柏」と は日本を代表する家紋です）。

「唯今、亭主に死なれたやうな声をして、優しい女房は涙ぐむ。思ひがけない、可懐しさに胸も迫つたらう。」

明治期から夫を「亭主」と称していたと分かると左翼は勝ち誇ったように「日本は不当に男女差別をする国でした」と言いそうですが、この時期は欧米諸国も強烈な男女差別の国々でした。男だけが軍人になって戦争をしていた時期ですから仕方がありません。むしろ、欧米諸国の植民地にならないために、日本は欧米の真似をして男女差別国家にならざるを得なかった、「亭主」から「もてなす人」の意味が消え「夫」だけになったのも、その表れかもしれません。

同時に『みつ柏』にあるように、「亭主」の相棒である婦人側を「女房」と呼ぶようになったのもこの時期からです。ここに私は、当時の庶民の知恵を感じます。「女房」とは、平安時代から江戸時代頃までの貴族社会において、朝廷や身分の高い貴族に仕えた女官を指します。仕事は雑務ですが、彼女達自身も身分の高い家の生まれで、場合によっては乳母、家庭教師、秘書などの役割も果たしました。つまり、明治時代の庶民にとって「女房」は、ついこの前（江戸時代）まで、ハイステータスの社会にしかいなかった人々を指す言葉だったのです。

これに対して「亭主」は、鎌倉時代こそ邸宅に住む一族の長を指した言葉でしたが、江戸時代には武士以外の被支配者層の宴会主催者をも表せる言葉に落ちぶれていました。

明治になって、ボロ屋に住む貧しい夫も「亭主」と呼ぶ代わりに、その妻を「女房」と持ち上げる。

このペアは、

「あんた（夫）は、外の人には家の主人の顔をして良いけれど、本当に偉いのは私（妻）の方だからね」

という趣旨と理解するべきです。

近代国家が出来た際に、「妻」の呼び方を江戸時代に高い地位の人々にだけ使われていた言葉を使用する傾向は「亭主 vs 女房」だけではありません。

江戸時代、武士の中では夫婦の呼ばれ方は以下のようにランク付けされていました（「江戸東京ぶらり旅」より）。

1．年俸1000石以上の旗本は「御前様」、その妻は「奥様」
2．年俸1000石以下の旗本は「殿様」、その妻は「奥様」
3．御目見以下（将軍に会えない）の御家人は「檀那（旦那）様」、その妻は「御新造」
4．さらに下級の刀指し（武士？）は「檀那（旦那）」、その妻は「御新造さん」

これが明治以降徐々に「あなたの旦那様」「お宅の奥様」が定着したのですから、ここでもしっかり「女性の方が地位は上」となったのです。

●『関白宣言』への返歌

当時、左翼政党は今よりも多くの国会議員を輩出していましたが、メディアへの影響力は少なかったのでしょう。『関白宣言』は左翼から批判されましたが大ヒット曲になりました。この歌を受けて、次のような返歌も発売されました。二つの歌の存在は、当時、亭主関白に素直に応えようとする女性の思い（『良妻宣言』）と、反発したい思い（『奥方宣言』）があったことがよく分かります。

さだまさし氏自身は、その後の世論の変化に応えて、15年後の1994年に『関白失脚』という曲を出しています。

『良妻宣言』　作詞：鈴木明子、作曲：海野星人

あの日のあなたの強いことばが
男の中の男に見えて　厳しい約束
恋するあまり　うなずいた私
寝覚めも悪く　料理も下手で
センスも悪いみじめな私
けれども一つ　誰にも負けない
ことがあるのよ
それは　あなたに愚痴をこぼさず
いつも自由を与えてること
心の中にあなたの事がある限りは

ラララ…

『奥方宣言』　作詞・作曲：渋谷岩子

あなたの月並なプロポーズに
答える前に聞いておきたい
建て前ばかりの　あなたの本音
もう一度だけ　問い直したい
男は仕事が　第一だと言う
家庭より仕事が　生きがいなんだと
それにしてはいつも　上司の悪口
デートのたびに　ぐちっているの
課長がドジで　部長がボケなら
あなたも長と名のつくものに　なれるわ
私にはあなたを　助ける力はないけど

世界中でただ一人の　味方になるつもりよ

何かと言うと「ボクのオフクロが…」
私にとっては　未来の姑
息子のあなたに　笑いかけたその目で
にらまれる私の　辛い立場を知ってネ
男の甲斐性で　浮気すると言うなら
女の意地で　にぎりつぶすだけよ
はじめチョロチョロ　中パッパの
おこげが好きなあなた
これから二人で　みつけて行く幸福は
晴れのち曇り　たまに雨やどりの
たやすいものではないはず
あなたは私のことを　妻として望んだのだから
苦労も半分ずつ　あなたと分けましょうネ

●専業主婦はハイリスク・ローリターン

「どう生きるかは自由」が前提ですが、全ての女性に知って欲しいのは、現代の専業主婦は楽だけれど「ハイリスク・ローリターン」だという事実です。日本の企業社会は、まだまだ男尊女卑なので、男性と女性で平均的な生涯賃金に大差がありますが、それでも女性が正社員で一生働けば1億数千万円にはなります（公務員なら一生ヒラでも2億は超えます）。実際は難しいでしょうが、専業主婦になったつもりで夫の収入だけで暮らすことができれば、夫婦が退職する頃には、その分だけで1億数千万円が残るのです。これに対し、専業主婦は税金と年金で美味しい思いができるだけですから、「専業主婦」と「共働き」では、最低1億の収入格差があるはずです。

専業主婦という生き方は、リターンが少ないだけではなく、超ハイリスクです。日本の最大企業トヨタの代表取締役が「終身雇用は無理」と語り大きな話題になりました。日本の離婚率が3割を超えたという事実もTVなどで良く語られます（2021年は36％を超えました）。

専業主婦が失業するリスクは、「離婚率」×「夫が失業するリスク」で求められます。つまり、夫の職業が失業率0％に近い仕事だったとしても、専業主婦自身の失業率は60％

台なのです。それだけのリスクを背負う価値があるのかないのか。真剣に考えた上で決めていただければ幸いです。

●男社会の終了

歴史が始まった農業時代も、産業革命後の工業時代も、最後は体力勝負だったので、一般に男性の方が労働者として女性よりも有能でした。しかし、これから求められる能力は、今までとは全く異なります。

２００９年にイギリス・ロンドンで、２５０人以上の研究者や専門家、医師によって構成される国際団体「Assessment & Teaching of 21st Century Skills」（ＡＴＣ21Ｓ）が発足しました。同団体は、以下の４領域10種類のスキルを、ＩＴ技術の発展やグローバル化の進む21世紀以降の社会で活躍するために必要なスキルとして定義しました。これが正しいのならば、労働者として、

男性＞女性

の時代は完全に終わったと考えるべきでしょう。

いつまでも経済発展しない「男社会」で居続けたいか、他国に負けず発展する社会にな

りたいか。これまでの男尊女卑を受け入れるか拒否するかは、そこにかかっているのではないでしょうか。

１ 思考の方法（Ways of thinking）
・創造力、イノベーション（Creativity and innovation）
・批判的思考、問題解決、意思決定（Critical thinking, problem-solving, decision-making）
・学びの学習、メタ認知（Leaning to Learn, metacognition）
２ 仕事の方法（Ways of working）
・コミュニケーション（Communication）
・チームワーク（Collaboration）
３ 仕事のツール（Tools for working）
・情報リテラシー（Information literacy）
・情報通信技術に関するリテラシー（Information and communication technology literacy）
４ 社会生活（Ways of living in the world）
・地域と国際社会での市民性（Citizenship - local and global）

・人生とキャリア設計（Life and carrer）
・文化の認識や需要を含む、個人と社会の責任（Personal and social responsibility – including cultural awareness and competence）

●母は育児に専念すべきでは？

専業主婦をNEETとする考え方には、「母は育児に専念すべきでは？」という疑問を抱く方にいるかもしれません。

これについては「建前上」育児休暇という回答がありますが、ここでも日本政府（厚生労働省）は国民を騙しています。日本では80～90％の女性が育児休暇を取得しているのが公的データなので「働きながらも大切な時期は育児に専念できます」とするのが政府見解と考えますが、大和総研がそのウソを指摘していました。

「では、女性の育児休業取得率はどうなっているかというと、厚生労働省の『雇用均等基本調査』（事業所調査）では、2006年度以後80％～90％程度で推移しており、一見、女性の育児休業は十分に普及しているかのように見える。しかし、これは、あくまで職場の在籍中に出産した女性に占める育児休業取得者の割合で、出産前に既に退職していた女

図表6　出生数に対する女性の育児休業取得率の推移

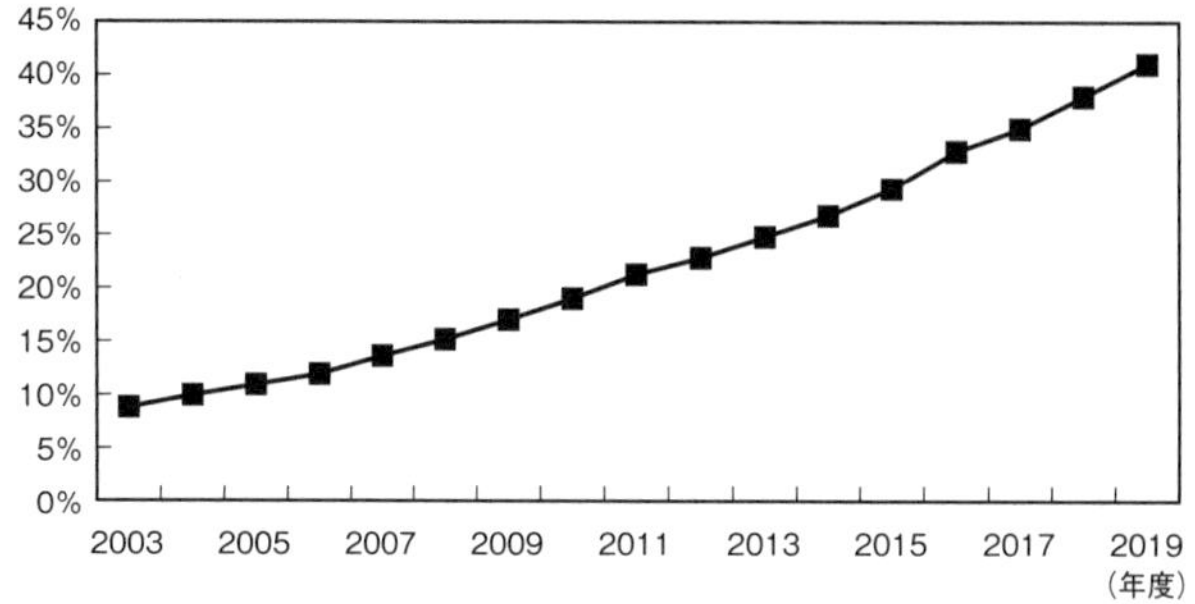

（注）分母の出生数には、自営業者や出産前から専業主婦である女性による出生数も含む。
（出所）厚生労働省「人口動態統計」、社会保障審議会職業安定分科会雇用保険部会資料をもとに大和総研作成

性は分母に入らない。出生数（≒出産した女性の人数）を分母にして女性の育児休業取得率を計算すると、図表（6）の通りで、年々上昇してきてはいるものの、未だその割合は4割程度である。」（大和総研HPよりhttps://www.dir.co.jp/report/column/20210426_01064.html）

若い女性が専業主婦に憧れるのではなく、退職圧力に屈することなく、堂々と育児休暇を取れる。場合によっては夫にも育児休暇を取るように要求する。そんな社会にならなければ日本の少子化は止まらないでしょう。

とは言え、結婚するか否かは別にして男女のカップルが出来なければ少子化は止まりません。ここでも古臭い「男尊女卑」思想がカップル誕生の邪魔をしています。

●「いい女」と「残念な男」が残る理由

私が、明治以降に続き、今なお様々な場面で顔を出す「男尊女卑」のメンタリティを急いで潰すべきと考えるのは、国益に反するだけでなく、それが少子化を推進するからでもあります。図表7のように、婚姻率は戦争直後を頂点としてその4割以下になり、婚姻件数も1970年代前半の約100万件をピークに減少を続けています。

中長期的に少子化を改善するためには、①婚姻率を高め、②婚外子も躊躇なく産めるように制度改正するしかありません。ただし、「見合い結婚」が壊滅し、「夜這い」や「乱交祭り」の消えた現代では、子作りの大前提に男女の恋愛が必要です。この時に最大の壁になるのが古臭い「男尊女卑」思想です。

これまで見てきたように情報社会では、労働能力としての、

男＞女

は、無くなりました。むしろ、労働能力の前提である学力では、各国で、

女＞男

が明らかになりつつあります（男にとって最後の綱は「数学」「科学」が辛うじて男性平均点が女性平均点より少しだけ高いことです）。学力の女性優位は都立高校で極端に出て

図表７　婚姻件数・婚姻率（戦後限定）

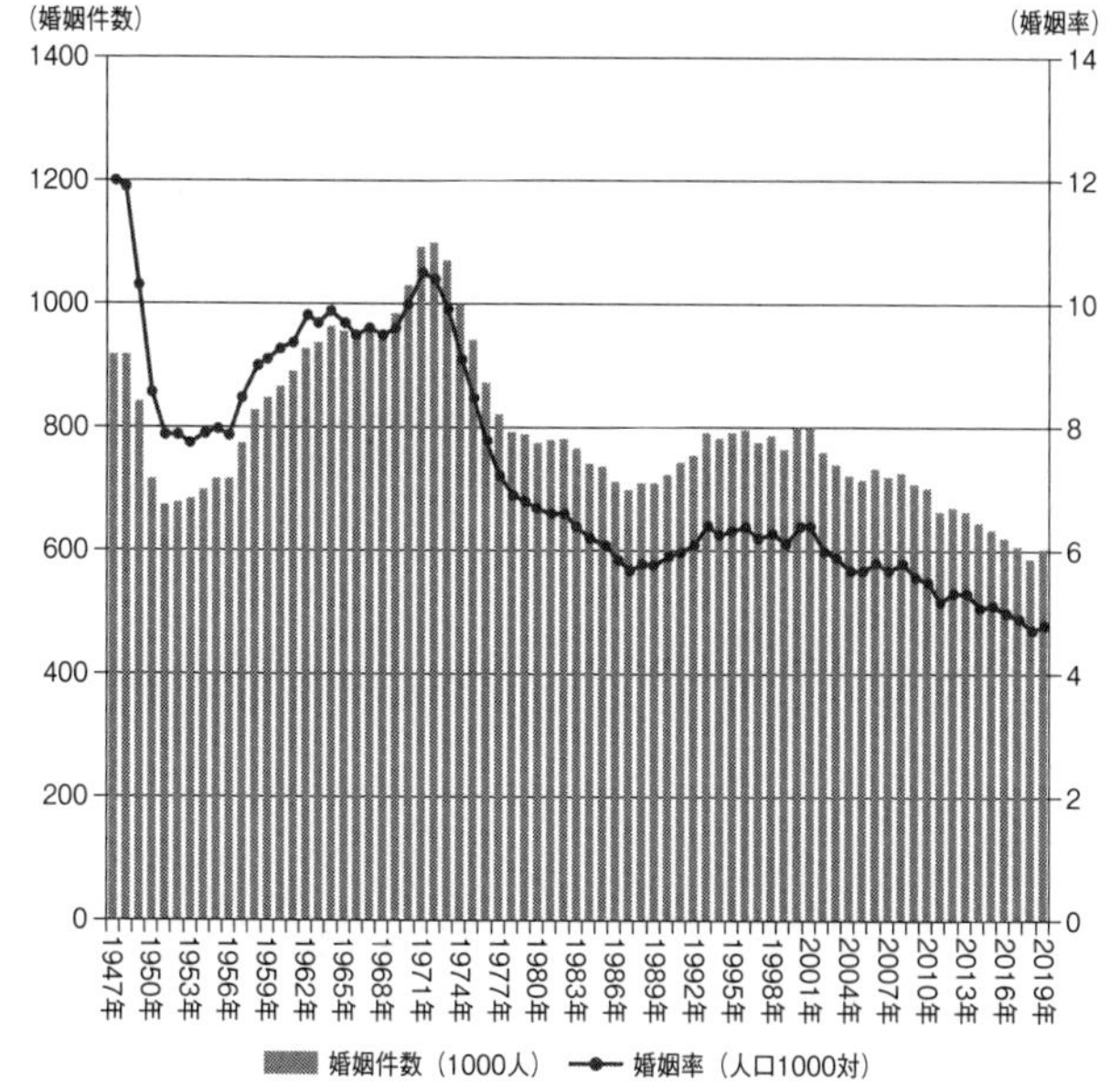

（https://news.yahoo.co.jp/byline/fuwaraizo/20200929-00199776　より）

おり、募集人数で直に合否を決めると合格最低点が男女で倍近く違う高校まで存在したのでした（都教委は制度改正に動き出しました）。

そんな時代に昔ながらの「男尊女卑」意識があると図表８のような悲劇が起きます。

女性は意識・無意識にかかわらず「自分よりできる男」を探し、男性もついつい「偉そうにできる」＝「自分よりもやや

図表8　「いい女・残念な男」が残る構造

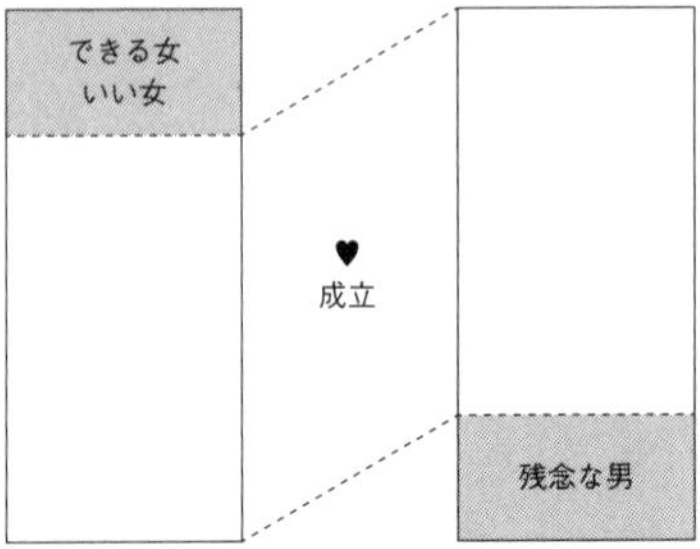

劣る」相手を選んでしまう。その結果、「できる女」と「残念な男」がペアからあぶれてしまう。そんな悲劇がどんどん大きくなってきているのではないでしょうか。

　医師や弁護士、一流企業に勤める男性を女性は放っておかないのに、その逆はありません。優秀な女性を口説く勇気のない男だらけです。こういった傾向は収入だけではなく、学力にも見られますし、主観的には容姿にさえその傾向を感じます。

「いい男を女は放っておかない」

のに、その逆はない気がするのです。

「いい女」が独身だらけ、彼氏なしだらけの最大の理由は、男＞女の時代が終わったのに、「男尊女卑」思想を捨てられない日本社会にあるのではないでしょうか。

ちなみに、１９７０年代まで婚姻件数や婚姻率が高かったのは、工業社会だった上にホワイトカラーも働きすぎの体力勝負だったので、男∨女のような妄想を男女ともに持てたからだと考えます。男女の出生比率は１０５対１００で、この頃になると男子の死亡数も減少していたため、わずかな「残念な男性」だけが婚姻しないという（生物学的には）正常な状態だったのでしょう。

男も家事をし、女も稼ぐ。それと同時に「男尊女卑」を捨てる。これしか日本が復活する道はありません。ですが、明治以降１５０年も続いた「男尊女卑」を捨てるには時間がかかります。そこで、次章ではこれと並行して導入すべきリベラリズムを考察してみましょう。

第5章　不倫騒ぎは負け犬の遠吠え！

●「フリン、フリン」と騒ぎだした左翼

ジェンダー視点からOECD諸国では専業主婦はNEET扱いなのに、日本の左翼メディア＝偽リベラリストはそこには触れませんでした。ところが、キリスト教の「倫理観」を世界標準かのごとく洗脳したいのか、平成時代の途中から、有名人の婚姻外の恋愛や性行為を見つけては「フリン、フリン」と騒ぐようになりました。フリンは「不倫」と書きますが、そもそも婚姻外の恋愛や性行為が倫理に反すると考えるのは、ユダヤ教、キリスト教、イスラム教と続く一神教下のモラル（倫理）であって、日本にはそんな倫理はありませんでした。

私は、左翼メディアが急に「フリン、フリン」と騒ぎ出したのは、そうすれば日本の政治家がハニートラップにかかりやすいからではないか、と某国の陰謀を怪しんでいます。仮に、陰謀がなくても、この点で欧米の真似をしても、日本国にも日本人にも何一つメリットはありません。

本章では、「フリン」騒ぎが日本の伝統に反するだけでなく、国益にも反する点と、対処法を考えてみましょう。

●「夜這い」や「乱交祭」だらけだった日本

地位や立場、時代によって課されるモラルは異なるので、日本でも婚姻外の性行為を禁止される人はいました。その代表は江戸時代の武士の妻です。武士はその中の下層階級にも「家」が重要で、跡継ぎには「長男と女性（こちらは正妻の必要はありません）からできた子」という建前が必要でした（長男相続が確立したのは江戸時代です）。それゆえ、家主や長男には婚姻外の性行為が許されましたが、家主や長男の妻や妾には、彼ら以外との性行為は許されませんでした。それが許されると生まれた子の父親が誰か分からないからです。堂々と「この子は、次にこの家を継ぐ子です」と言うためには、妻や妾達の婚姻外性行為の禁止が必要だったのです。その結果、跡継ぎができないリスクは高まりますが、代わりに彼等には「養子を作る」という逃げ道が用意されました。

士に対し農工商は、上層階級にも「現実に」跡継ぎがいればよいので「くらやみ祭」や「夜這い」など３６５日の中で数日〜数十日、長男に子が作れない（性行為ができない、無精子症、同性との性行為しかできない等々）場合の逃げ道、すなわち「堂々と婚姻外性行為が許されるシステム」が存在しました。

今でも、愛知県西尾市「熱池八幡社」の「てんてこ祭り」（大根で作った男性器型を腰にして、それを振りながら町をあるく)、奈良県高市郡明日香村「飛鳥坐神社」の「おんだ祭り」(天狗とお多福による夫婦和合を皆に見せる)、三重県津市「仲山神社」の「ごんぼ祭り」(巨大な男根神輿と女陰神輿が境内でぶつかり合い、最後に合体する)、神奈川県川崎市「金山神社」の「かなまら祭り」(ピンク色の〝男根〟お神輿が練り歩く)など、全国に性行為や性器をむき出しにした祭りが残っているのは、社会で婚外性行為が盛んだった証拠です。

証拠は有名な奇祭だけではありません。祭りの日に婚姻外の性行為を楽しむ風習が残る田舎は今もあるらしく、民俗学の学生が乱交祭りで童貞を喪失したという記述がありました(「民俗学の学生が激白『僕は乱交祭りで童貞を喪失した!』https://r-zone.me/2016/02/post-1297.html)。

乱交祭りよりも盛んだったのが、日常的な「夜這い」です。こちらも田舎では(少なくとも)数十年前まで残っていたようです。私が若手都職員だった頃(平成初期)、伊豆七島(これらの住所は東京都です)に数年勤めた女性職員から聞いた話ですが、島に異動命令が出た際、上司から、

「夜這いをする人がいる(特に高齢者に多かったそうです)から、家には必ず鍵をかけろ」

と注意されたそうです。その話を聞いて「夜這い」後の行為は、合意だけでなくレイプもあることを初めて知りました。

「乱交祭」や「夜這い」は平成の話ですが、高度成長期の頃には「夜這い」からレイプ、そして結婚へと至る風習までありました。鹿児島県のその風習は「おっとい嫁じょ」と呼ばれ、１９５９年（昭和34年）にも、まだそれを要求する男性がいました。結婚を希望した彼は逮捕され強姦罪で罰せられましたが、彼が刑事事件で「おっとい嫁じょ」の風習を根拠に無罪を主張した事実は、その頃まだ、その地方でレイプ婚が風習として残っていた証拠です。

●若き頃「フリーセックス」を楽しんだ左翼老人達

左翼も昭和時代は、乱交祭りや夜這い、レイプ婚姻に負けていませんでした。彼らが若かりし頃は、共産主義と同時に「フリーセックス」を唱える人が多く、学生運動をしつつ「連帯感を強めるためにいろんな人と性行為をした」と証言する（自慢する？）人は、少なくありません。

左翼の根底には資本主義国家を暴力革命で潰そうとする共産主義があり、その思想は本質的に間違っていますが、個々の主張がその時々の国益に合致する場面はあります。フリーセックスは、その一つです。乱交を肯定する文化が、もしも令和の時代に生きていれば、独裁国家のハニートラップなど通用しないはずです。

「フリーセックス」は、性に保守的なキリスト教文化のカウンターカルチャーとして1960年代にアメリカで生まれたヒッピー文化の一つです。彼らは、婚前や婚外の性行為だけでなく乱交も肯定しました。

今では信じられませんが、当時のアメリカ人は童貞と処女のまま結婚するのを良しとするキリスト教の性道徳が主流だったのです。現実にその「モラル」を守っていた人が、どのくらいいたのかは不明ですが（笑）。

ですから20世紀の若者達が「そんな古臭いモラルに従えるか」と怒ったところまでは当然です。キリスト教が誕生した1世紀は15歳前後で結婚するのが普通でしたから、性欲を我慢する期間はさほど長くなかったはずです。対して1960年代は20歳以上にならないと結婚しない人が圧倒的多数派でしたから、婚前交渉を否定する「モラル」は当時よりはるかに厳しいモノだったのです。

ここまでは彼らに同情しますが、欧米人は常に極論から極論に走ります。フリーセックスもその一つでした。ヒッピー達は、婚前交渉や婚外交渉を肯定するだけでなく、1対1の恋愛に否定的になり次々と相手を替える行為こそ正しいと考え、グループ婚コミューンと称して参加メンバーで乱交する集団まで登場しました。

このヒッピー文化を利用したのが共産主義者です。当時は、共産主義がろくでもない思想だと資本主義国家にバレていなかったため、欧米諸国にも共産主義者は大勢いました。ヨーロッパでは共産党が国会議員を何人も当選させていましたし、赤狩りで共産主義者を排除したアメリカにも、ヒッピーを隠れ蓑にして共産主義者は文化破壊に精を出したのでした。

日本では、「フリーセックス」＋「共産主義」が戦中生まれから団塊世代までの人々の心を射止めます。学問もせずに学生運動をしていた青年たちに「連帯感を強めるためにいろんな人と性行為をする必要がある」と相手構わずセックスすることが流行したのでした。当時はＤＮＡ検査による親子関係確認という技術がなかったので父親が誰か分からない子どもが誕生しましたし、その陰では堕胎する女性や不妊手術をする女性が大勢いました（図表9）。

図表９　人工中絶及び不妊手術数

人工妊娠中絶件数

	件数
1961	1,035,329
1971	736,674
1981	596,569
1990	456,797
2000	341,146
2004	301,673
2008	242,326
2012	196,639
2016	168,015

不妊手術件数

	総数	男	女
1961	35,483	1,049	34,434
1971	14,104	255	13,849
1981	8,516	116	8,400
1990	6,709	40	6,669
2000	3,735	16	3,719
2004	2,875	12	2,863
2008	2,932	36	2,896
2012	3,498	27	3,471
2016	4,607	42	4,565

（『日本女性における避妊と中絶-1961年から2016年までの変化』〔駒沢女子大学　研究紀要【人間健康学部・看護学部編】第１号より〕）

学生運動は日本共産党では物足りないと考えた過激な共産主義者が主役でしたが、高齢者達の話ではフリーセックスは日本共産党系の学生（民青）の心も虜にしたようです。爺さんと婆さんが手を取って「憲法改正反対」と叫んでいる令和時代の姿は、フリーセックスを楽しんだ成れの果てなのです。

●フリーセックスは男女差別

私は、左翼が振りまいた１９７０年代のフリーセックス文化を肯定しようとは思いません。むしろ嫌悪しています。

それは私がキリスト教徒だからではありません。私自身は、１月１日には日本の神を祭る神社に行き、お盆は墓の前で人が読む意味不明の仏教経典を聞き、12月24日前後にはキリスト教徒ぶってクリスマスツリーの近くでディナーを食する、典型的な日本人です。複数の新興宗教と仲が良いので、たまに間違われますが、特定の宗教だけを信じる信徒ではありません。

では、何故フリーセックスを嫌悪するのか。それは男女差別思想だからです。図表9から分かるようにフリーセックスの被害者は女性です。

そもそもフリーセックスはアンフェアです。哺乳類や鳥類の多くは、メスに性行為の選択権があり、その代わり性行為後の関係維持はオスが比較的優位に立ちます。これは多くの人々の経験値からヒトにも当てはまるのではないでしょうか。にもかかわらず、フリーセックスという文化で女性から選択権をはく奪するのは「男女差別」以外の何物でもありません。

著名なフェミニストに若い頃の性経験を自慢げに語る左翼老女が複数いるようですが、彼女達には、

「どんな鍵穴も開けられる鍵は素晴らしいが、どんな鍵でも開いてしまう鍵穴は役に立たない」

という言葉を送りたいと思います。

●嫉妬心を抑えることこそが日本のモラルだった

ここまで見てきたように、中高年は今とは違う性モラルの中を生きてきました。婚外の性行為が既婚者にも未婚者にも常識だったのです。そんな日本人が、なぜ今になって「フリン、フリン」と騒ぐのか？　それは現代のフリンが、「乱交祭り」「夜這い」「フリーセックス」と違って一部の人にしか縁のない行為になってしまったからです。

ごく一部の田舎では今でも乱交祭りが残っているようですが、大多数の祭りは単に男性器や女性器に擬した神輿を担ぐだけのモノになりました。「〇〇祭りの時に（普段付き合いのない）近所のお姉さんとヤリました」という話は、民族研究者がネットに書くほど珍しい事柄になりました。「夜這い」をしたら余程の田舎でない限り、性行為する前に不法侵入で捕まります。フリーセックスを謳歌した左翼老人も、「現役」を引退し、性行為が思い出になった人が多数派でしょう。

現代の婚外性行為は、モテる人、既婚者になっても配偶者以外の人から魅力的に見える人だけに許される行為になってしまったのです。言い換えるなら、多くの人にはやりたくてもできない「高嶺の花」になってしまった。それが、現代の婚外性行為です。

配偶者や恋人が、自分以外の人（異性？）と性行為をすると、ヒト（動物の種としての人間）は嫉妬心を抱きます。しかし、日本では、後継ぎを得るためや、社会を安定させるため、村人のＤＮＡの多様化を維持するために、その嫉妬心を抑える必要があった。だから、嫉妬心を抑えることこそが日本のモラルだったのでしょう。

乱交祭りの翌朝には「昨日は誰としたの？」という夫婦の会話は珍しくなく、それを見た欧米人研究者は驚いたそうです。国葬された伊藤博文の正妻の最大の仕事が「お手当を妾達に公平に配る事」というのは、彼女が嫉妬心を抑えられる立派な妻だったと伝える逸話です。

●令和時代は嫉妬心むき出しで良いのか

昭和時代まで、金持ちは堂々と愛人を持ったし、貧しい人も夜這いをしたり（多くは男性）受け入れたりして（多くは女性）、それなりに婚外性行為を楽しんでいたのです。夜這いに縁のない人も、乱交祭りや左翼の「フリーセックス」グループなら相手を獲得できたはずです。

それがなぜか、平成に入ると急にマスコミが「フリン、フリン」と騒ぎ出し、日本の伝統を重んじる保守派は「何が不倫だ！　日本には婚姻外性行為を禁ずる倫理は最初からない」と言わず、「フリーセックス」を唱えた左翼も「なんて頭が固いんだ！　今はフリーセックスの時代だ！」と騒ぎません。

マスコミが「フリン、フリン」と騒ぐ現代は異常です。そして、マスコミに乗せられて本気で不倫批判をしている人の多くは異性に相手にされない「負け犬」です（欧米系モラルが高い人もゼロではありませんが）。現代の日本人は、かつての伝統的な「次元の高いモラル」を失ったのです。

日本社会も、他の民族の社会と同様、動物的感情に過ぎない嫉妬心をむき出しにしても良い社会になってしまったのです。「フリン、フリン」とマスコミが騒ぐとウケるのは、自分の嫉妬心が肯定されている気がするからでしょう。

自分の嫉妬心だけではありません。大声で批判をすれば、「高嶺の花」への「ねたみ・そねみ」も満たされます。配偶者や恋人に嫉妬心を抱けるならまだマシで、超高齢化社会では恋愛や性行為などはるか昔の事になった人や生涯無縁だった人も少なくありません。そんな人が、自分の人生と雲泥の差がある著名人の複数愛を知った時、

「芸能人やスポーツマンが、あんな美人やイケメンと結婚している上に、別に恋人がいるなんて、許せない！」

と「ねたみ・そねみ」から腹が立つのは仕方ありません。

既婚者なのに外にも恋人や愛人を持つのは、芸能人やスポーツマンなど著名人だけではありません。中高年になってもモテる人は普通に街にいますし、政治家や企業経営者など社会的地位を獲得した人が愛人を連れてゴルフに行くのは、昭和時代の常識でした。

しかし、自分は全く異性に縁がない。そうなると知らない人の「フリン」にまで腹が立ちます。当然ではありますが、「ねたみ・そねみ」で騒ぐのは「負け犬の遠吠え」ではないでしょうか、だから、自分が悪口を言う前にマスコミに騒いでほしい。それが「フリン、フリン」と騒ぐメディアが大衆にウケる理由ではないでしょうか。

●「浮気」をされた女性が救われない日本

嫉妬心や「ねたみ・そねみ」から誰が騒ぎ、騒ぎで誰が喜び、誰が金儲けをしようが知ったことではありません。しかし、フリン騒ぎが日本沈没の役に立つとなると話は別です。芸能人やスポーツマンなどのフリンに関する一つ一つの記事や放送が日本に悪い影響を与

えるとは考えませんが、これによって急速に誕生した、

「婚姻外性行為」≒「不倫」≒「社会悪」

という構図は、①他国が日本の政治家にハニートラップをかけやすくなり、②日本をますます少子化にしてしまいます。

すなわち、「負け犬の遠吠え」は、政治的にも経済的にも日本に悪影響を与えるのです。

ここまで書いてきたように、日本では配偶者を有する人が、それ以外の人と性行為をしても伝統的な倫理に反しません。そんな「倫理」は日本にはなかったのです。ただ、それを受け入れられない人は民法770条第1項第1号を根拠に裁判所に離婚の訴えを提起することができますし、性行為など不逞《ふてい》な行為の相手が素人だった場合、配偶者や浮気相手に概ね数十万～300万円程度の損害賠償請求を認めてきたのが判例です（裁判所は同条第2項を根拠に離婚の請求を棄却することも可能です）。

しかし、この額では配偶者の婚外性行為に腹を立てて離婚できるのは、その後、自分の稼ぎだけで同レベルの生活ができる人、すなわち多くの場合夫だけです。専業主婦はもちろん、パートしかしていない人も離婚後に待っているのは貧しい暮らしです。有名人をネタに「フリン、フリン」と騒ぐのは良いけど、自分の身に起きた時には、稼ぎの悪い人は

我慢しなさい。これが日本の現実なのです。

その損害賠償請求さえ、行為の事実および浮気相手を知った時点から3年を過ぎると請求ができなくなります。また、婚外性行為をした相手が玄人の場合は、最初から損害賠償請求できません。日本では売春が禁じられているのに、ソープランド経営者が捕まらないのは、お風呂に入った後で客とソープランド嬢の間に（毎回？）恋愛が誕生するからだそうです。そんな理屈が通るなら、客が妻帯者の時は、毎回、妻からソープランド嬢に損害賠償請求ができるはずですが、そんな話は聞いたことがありません。

これらなら、互いに乱交祭り時の浮気を許すのが「器」だった昭和時代の方がまだマシではないでしょうか。

●ハニートラップにかかりにくかった日本

かつての日本は簡単にハニートラップなどにかからない立派な国でした。

権力者を恋愛に溺れさせ、自分達の意向を通りやすくする。このような政治手法＝ハニートラップは古今東西ありました。国内政治だけでなく、敵国を分裂させるためや、破綻させるためにも使われました。しかし、権力者が異性と性行為をするのは困難ではありません。一度や二度、寝室をともにした程度で権力者を恋愛に溺れさせるのは簡単ではありませんでした。それゆえハニートラップの成功率を高めるために、様々な性技術が生まれたという都市伝説があります。

しかし、フリンを「悪」と考えるキリスト教徒ばかりが住む欧州がデモクラシー国家になり、同時にマスコミが発達すると、ハニートラップは極めてかけやすく、成功率の高い外交技術になりました。何故なら、政治家の多くは妻を有していたからです（当時の政治家は男性しかなれませんでした）。妻を有する男に、一晩、妻以外の女性を与え、その証拠をつかむだけで、欧州の政治家は簡単に脅せるようになったのです。彼らには選挙が待っているからです。キリスト教徒にとって婚外性行為は「不倫」なのでハニートラップは最も簡単で最も効果的な外交技術になりました。

しかし、先進国の中でハニートラップが通用しない国がありました。それが、昭和時代までの日本です。ところが、平成時代に急に日本になかった「倫理」を婦人雑誌が有名人に押し付けはじめました。この動きに対し「フリーセックス」を叫んだ左翼だらけの朝日新聞などのメディアは何一つ反論しませんでした。

その成果でしょう。現代の政治家には、中国や北朝鮮のハニートラップにかかったという噂のある政治家が少なくありません。自国のスパイに他国の政治家を口説かせ、性的関係を持ち、それを脅しのネタに使うのが、現代では基本スタイルになってしまいました。ですから民主主義国家である上に「スパイ法」がない日本は、世界一ハニートラップが有効な国になったはずです。実際、中国人女性が自民党秘書として、国会議事堂内を堂々と歩いていることが報道されています。仮想敵国の女性を秘書にする国会議員が、生粋の売国奴かハニートラップにあったのかは不明ですが。

かつては、様々なハニートラップがありました。キリスト教では、既婚者の婚外交渉だけでなく、未婚者間の性行為も、ＬＧＢＴ（レズ、ゲイ、バイセクシャル、トランスジェンダー）も全てが否定されていましたから、これらの行為をした事が世の中にバレたら、その政治家は次の選挙で落ちる確率が高くなったのです。未婚の政治家との性行為も、同性同士での性行為も、すべてハニートラップに使えたのです。

ヨーロッパ諸国が急に、様々な性的関係や性行為を許すことが正しく、それらを認めないのは「人権侵害だ」と言い出したのは、他国のハニートラップがかかりにくくなるというメリットがあるからだと推測しています。

最近は、ＬＧＢＴをネタにして「日本が遅れている」と騒ぐ左翼が出てきましたが、こちらの方が「フリン」を騒ぐ左翼よりも国益には反しない気がします。もちろん、無知・無教養という点では同レベルです。日本に近代国家が誕生する前は、ホモセクシャル（ゲイ）の在り方を説く『葉隠《はがくれ》』が武士の教科書でした。最初からホモに対する偏見などなかったのです。ゲイやバイセクシャルほどの「教養」ではありませんが、レズも黙認されていたようですし、トランスジェンダーも歌舞伎の世界や売春宿で貴重な存在でした。ですから日本人相手に「ＬＧＢＴをばらすぞ」という脅しは成り立たなかったのです。

日本が、戦前はもちろん、戦後も西欧諸国に比較すると極めてハニートラップを仕掛けにくい国だったというのは間違いありません。

●自分達だけが美味しい思いをした昭和サラリーマン

ところが、ＧＨＱに「日本は封建的」と因縁をつけられ、伝統や文化、独自のモラルを大声で主張できない時代が続くと、婚外性行為は、男女に許されたイベント（乱交祭り）や夜の風習（夜這い）から、「旦那だけが」「女房に隠れて」「こっそり」とやる浮気になっていきました。

同時に新中間層と呼ばれたサラリーマンが増えたことで、ますます「婚外性行為」＝

「夫の浮気」となります。しかし、乱交祭りや夜這いと違って皆が素人相手を獲得できる訳もなく、多くは夜の街で女性を買うしかなかったようです。左翼運動にハマった団塊の世代も多くはサラリーマンになると、「フリーセックス」を主張せず、会社の先輩に連れられて夜の街にデビューしていきました。

彼らは、自分の妻が自分と同じ行為をする事など、想像さえしませんでした。その意味でサラリーマンを大量産出した戦後の昭和期は、日本史上最大・最低の「男女差別時代」だったと言えるでしょう。

企業内モラルも今から思えば最低でした。ヌードが掲載された雑誌を職場で読むなんて当たり前で、女性の膝や尻を触る、妊婦のお腹を触るといったセクハラ行為が普通に行われていたのです。気に入った女性部下を飲み会に半ば強制で誘う上司もいましたし、あわよくば酔わして抱こうとする男も普通にいました。

また、企業によっては接待でクラブやキャバレーに行く社員もいました。つまり、若くて美しい女性に接待される人もいれば、「接待」と称して営業費で遊べる人もいたということです（バブル崩壊以降、まったく成長しないわが国ではそんな姿も随分と減りましたが）。

概ね、昭和一桁世代（1926年生まれ）から団塊ジュニア世代（1974年生まれ）までの約50年に亘る世代が、男性だけが美味しい思いをした時代を過ごせたと考えてよいでしょう。

●モラルは時代を戻れない

性的モラルは、民族や国の文化、宗教、制度などとともに変化します。ここまで記したように、日本民族には、乱交祭りの際の夫婦のように、嫉妬心の抑制を求められる日本文化らしい伝統的なモラルもあれば、夜這いや「おっとい嫁じょ」など女性にレイプを我慢させる、女性からすれば「モラル」と言えない風習もありました。

双方とも現代に蘇ることはないでしょう。「モラル」は歴史をさかのぼれないのです。

もちろん、最近の「フリン」騒ぎで多数派になった?婚外性行為を全否定するような「モラル」、日本を世界一ハニートラップにかかりやすい国にする、左翼が喜ぶような「モラル」をこのままにしてはいけません。では、どう対処すればよいのでしょう。

「お互いの合意を得て複数の人と同時に関係を築くポリアモリー」というライフスタイルを一つの生き方として是とするのが、当面の最良かつ唯一の対処方法だと考えます。これを気づかせてくれたのは、伊藤詩織氏と山口敬之氏の争いでした。

●伊藤詩織氏 vs 山口敬之氏への「公平な？」判決

ご存じの方も多いと思いますが、判決後の左右双方の伝え方が政治色で傾いているので、民事訴訟における互いの言い分と裁判所の判断を中立的かつ簡略して述べ、その後で私見を書きます。

・裁判所が認定した事実
「二人で酒を飲みながら食事した後でホテルに行き、伊藤詩織氏が嫌がったが山口敬之氏は無理やり性行為をした」
・伊藤詩織氏の主張
「二人で酒を飲みながら食事した際に山口敬之氏からこっそりと薬を飲まされ意識がもうろうとなり、ホテルに連れていかれて無理やり性行為された」
・裁判所が認めなかった主張
「山口敬之氏が伊藤詩織氏に薬を入れて飲ませた事実は認定できない」

・山口敬之氏の主張

「二人で酒を飲みながら食事した後でホテルに行き、伊藤詩織氏と合意の上で性行為をした」

・裁判所が認めなかった主張

「伊藤詩織氏と合意の上で性行為をした事実は認定できない」

これらの結果、伊藤詩織氏が山口敬之氏に求めた「無理やり行った性行為」への損害賠償330万円と、山口敬之氏が伊藤詩織氏に求めた「薬など飲ませていないのに飲ませたと主張した」名誉棄損への損害賠償55万円、双方が認められたのでした。

二人ともこの判決に不満でしたが、当時のマスコミはこれらの事実をしっかりと報道していたし、私は非常に公平な判決だと感じました。

●性モラルの世代間ギャップ

この事件は、二人が有名人で伊藤詩織氏が「Me too 運動」（レイプ、性的虐待、セクハラなどの性的被害を、名前を隠さずに「私もされた」と告げるオンラインキャンペーン）をしていたので世の注目を受けましたが、内容は「いかにも起きそうな事件」「今日もどこかで起きている事件」と感じました。

「二人でお酒を飲んで、ベロベロになった女をホテルに連れ込んで、やった」「それの何が悪い」

というのが山口敬之氏より年上によくいるタイプの人です。犯罪者によくいるのではありません。昭和時代から公務員やサラリーマンなど勤め人をしていた人によくいる（いた？）タイプで、それ以外の点で優秀な人もいれば、平凡な人も無能な人もいます。つまり、他の能力と相関性を感じないのです。

今の若い人には信じられないかもしれませんが、付き合い始めた（人によっては、最終的に結婚した）きっかけが、女性が酒に酔って意識をなくし気づいたら二人で寝ていた、なんてことが珍しくないのが、山口敬之氏や、それよりも上の世代なのです。

これに対して、伊藤詩織氏やそれよりも若い世代には、酔った経験さえない人が大勢います。また、まだ付き合っていない男女が二人で酔って帰ったけれどその夜は何もなかった。その優しさとジェントリーな男性の態度に女性が惚れて付き合い始めたなんて話も珍しくありません。

私は、この事件を起こしたのは、左派の人達が言うように山口敬之氏が酷い犯罪者だったからでもないし、右派の人達が言うように伊藤詩織氏が目立ちたくてウソをついたのでもないと思います（真実は神のみぞ知るですが）。

世代間で性的モラルが異なるのです。その結果、双方にとって不幸な事件が起きてしまったのではないでしょうか。今でも（一部の）中高年男性には、

「晩御飯を食べて、酒を飲んで、酔ってホテルについてきたのだから、やっても良いに決まっているだろ」と思う人がいるし、今の女性は、

「既婚者相手だから安心していたのに。飲んで酔ったからって、ホテルに連れ込んで、気分が悪いのにするなんて許せない」

と考えるのが多数派でしょう。

最近のマスコミが好きな「格差」で言えば、まさしく性的モラルの世代間レベル格差です。

では、どちらがどちらに合わせるべきでしょう？　当然「上」に合わせるべきです。年齢ではありません。レベルです。

世間全体が「Me too 運動」をしている伊藤詩織氏に性的モラルのレベルを合わせる。

これこそが、日本の国益にも合うと考えます。

●ＬＧＢＴの受け入れは自然

ポリアモリーというのは、全てのパートナーの同意を得て、複数のパートナーとの間で親密な関係を持つこと、またはそれを願うことを指す言葉です。

これは１９９０年代初頭の米国で作られた造語です。１９９０年代初頭と言えば、日本ではバルブは崩壊したけれど、そのうち経済は復活すると信じ、自分達の経済活動に自信を持っていた時代です。相変わらず、男性サラリーマンにはセクハラやプロ相手の浮気は堂々と、「社内不倫」もこっそりと許された時代でした。そのため、多くの人にポリアモリーの概念の重要性が理解できなかったのでしょう。田舎では家に鍵をかけないのが常識でしたから、「夜這い」風俗が残る地方も少なくなかったのかもしれません。

いずれにしても「ポリアモリー」という言葉は、アメリカから輸入されませんでした。

しかし、有名人が婚外性行為をしただけで「フリン、フリン」と騒がれ、嫉妬深い一般人になると配偶者以外とデートするだけで夫婦不和になる家庭がある今こそ、「ポリアモリー」を受け入れることが重要だと考えます。

ＬＧＢＴについては、２０１２年に東京レインボープライド（ＴＲＰ）が代々木公園で開催され、それがきっかけで随分と「ＬＧＢＴを認めろ」という声が大きくなってきました。常に極論から極論に走る欧米では、近年、ゲイやレズの婚姻を認める国が生まれ、常に「日本は遅れている」と言いたい左翼もこの流れに乗ろうとしています。

レズやゲイを法で罰していた欧米諸国と異なり、日本には元々ＬＧＢＴを拒否する社会など存在しませんでした。とはいえ「ゲイやレズがバレると恥ずかしい」という空気は存在したので、２０１２年の東京レインボープライド（ＴＲＰ）開催以降、多くの社会でＬＧＢＴを受け入れる空気が強くなったのは、喜ばしいことです（少子化が深刻な政治課題になった現在、子どもを作れないゲイやレズに婚姻まで認める制度には反対ですが）。

『「浮気」を「不倫」と呼ぶな』（竹内久美子＆川村二郎著ＷＡＣ２０１８年）によれば、ヒト以外の種にも同性愛は存在し、それは異常な現象ではないと生物学で分かっているとか。なるほど、近代になっても無意識のまま一神教（ユダヤ教、キリスト教、イスラム教など）の視点で善悪が決められた他国と違い、先進国でありながら同性愛を罰せず受け入れた日本の在りようは、自然の視点から「正常」だったのですね。

●ポリアモリーを紹介する伊藤詩織氏

ＬＧＢＴは今では「ＬＧＢＴＱＩＡ＋」と呼ばれ、ますます多様性を増しています。Ｌ＝レズ、Ｇ＝ゲイ、Ｂ＝バイセクシャル、Ｔ＝トランスジェンダーまでは今では常識ですが、それに続くアルファベットには次の意味があるそうです。

「Ｑ」は、性自認や性的志向を決められないQuestioningと「風変わり」という意味のQueeを表す言葉です。

「Ｉ」は、身体的に男性と女性の両方の性別を有するIntersexを意味する言葉です。

「Ａ」は、どの性にも恋愛感情を抱かないAsexualに該当する言葉です。

「＋」は、何か特定のセクシュアリティを表している言葉ではありません。

いずれにしても、これらは性的志向や恋愛対象志向であり、恋愛対象の複数性を指していません（それを指している可能性があるとすれば「＋」です）。

しかし、ＬＧＢＴ〜を騒ぐ日本の「自称リベラリスト」で、ポリアモリーを主張する人や紹介する人はほとんどいませんでした。そんな中、ポリアモリーを紹介していたのが伊藤詩織氏でした。愛国者と愛国者ぶる売国奴が見分けにくいように、左翼が生き残る日本の言論界では、詐称リベラリストと本物のリベラリストを見分けるのも困難です。

しかし、ポリアモリーを紹介し、その正当性を主張する人は、本物のリベラリストと考えます（思慮の浅い左翼の可能性もゼロではありませんが）。なぜなら、ＬＧＢＴの受け入れが常識となり「ＬＧＢＴは気持ち悪い」と言うだけで政治家が職を失うように、ポリアモリーの受け入れが常識になれば、既婚者政治家がスパイと一晩をともにしただけでは、某国がその政治家を脅すのが困難になるからです。

その政治家が「女房もこのくらいは認めたうえで夫婦生活をしています」「私も彼女が同様の行為をしても怒るつもりはありません」「互いに相手のポリアモリーを受け入れているのです」と言えば良いだけだからです。その上でマスコミに「某国が、こんな風に私を脅して、〇〇に賛成しろと要求してきました」と明かせば、反日集団が居座る日本のマスコミや政治も今よりは多少はマシになるはずです。

しかし、そんな事は、反日集団が多数派のマスコミ内で言いたい放題の左翼は許されないでしょう。ポリアモリーを応援するか否か。逆に言えば「フリン、フリン」と騒ぐか否か。これは、次の時代に偽リベラル（左翼）と本物のリベラルを見分ける良い基準になるのではないでしょうか。

●生物学的に「あり」だったポリアモリー

ポリアモリーは生物学的にも異常ではないようです。

竹内久美子氏によると、ヒトには本能的に複数の異性を求める個体と、一人の相手だけを求める個体がいるそうです。ここでは、前者をＡタイプ、後者をＢタイプと呼ぶことにします。興味深いのは、男女とも両方のタイプがいるのですが、男性はＡタイプの方が多く、女性にはＢタイプが多いという点でした（これは欲望による分類なので、Ａタイプが婚外性行為に成功するとは限りません）。

だとすれば、男性だけが複数の配偶者を持つことのできるイスラム教や、男性だけが浮気（相手の多くはプロでしたが）をしやすかった戦後のサラリーマン社会にも一応の合理性があったのでしょう。もちろん、少数派（Ａタイプの女性）への人権侵害が許されない先進国日本で、Ａタイプの男性だけが美味しい思いができるなんて許されるはずがありません。

しかし、Ｂタイプだけが正常で、Ａタイプは異常と考える現在の「フリン」騒動は、国益だけでなく人権という視点からも愚かな風潮ではないでしょうか。恋愛であれ、婚姻であれ、相手がどちらのタイプか分かった上で受け入れるならば、そのカップルの在りようは認められるべきです。少なくとも、他人がとやかく言う話ではありません。

その点では互いがAタイプの時だけを認めようとするポリアモリーも、まだまだ未熟な（発展の余地のある）概念です。なぜなら、組み合わせとして、

パターン1　男性Ａ　ａｎｄ女性Ａ

パターンⅡ　男性Ａ　ａｎｄ女性Ｂ

パターンⅢ　男性Ｂ　ａｎｄ女性Ａ

パターンⅣ　男性Ｂ　ａｎｄ女性Ｂ

がありうるからです。

その中でパターンⅣだけを正常とするのが、キリスト教徒などの思想であり、いまだに主流の考えです。これに対しパターンⅠを認めようという主張がポリアモリーで、キリスト教的価値観の押し付けよりは、はるかにマシですが、同タイプしか認めない点で完全ではありません。４人まで妻を持てるイスラム教で認められたのはパターンⅡです。また、極少数ですが、多夫一妻が制度化している民族もいるそうです。こちらは、イスラム教のように女性に決定権がないようなのでパターンⅢとは限りません。しかし、人類を公平に見渡せば全てのパターンが在りうるし、だったら全てを認めるべきと主張するのが「多様

性を受け入れろ」と大声を出すリベラリストのあるべき姿ではないでしょうか。

こういうと損得勘定で「パターンⅡ　男性Ａ　ａｎｄ女性Ｂ」と「パターンⅢ　男性Ｂ　ａｎｄ女性Ａ」では、Ｂタイプが損じゃないか、という主張も出てきそうですが、現代先進国の恋愛や婚姻は全て自由意思です（少なくとも建前は）から、他人がガタガタ言う筋合いではありません。

あなたなら、性格、態度、容姿、収入など全てが素敵な女性（男性）の金曜日の男（女）になるのと、性格や態度が悪く、醜く、働きもしない相手と３６５日一緒に過ごすの、どちらを選びますか。自分の意思でどちらかを選択できるなら、前者を選ぶ人が多いでしょう。もちろん、自分の強烈な嫉妬心を自覚して、後者を選ぶ方もいるでしょう。いずれにしても、恋愛関係や性関係に他者が口を出すこと自体が異常なのです。日本に本物のリベラリストがいるなら「他人の人間関係に口を出すな」と主張することを期待します。

期待するのはリベラリストだけではありません。常に次の選挙が待っている政治家に、いきなりポリアモリーなどを認めろとは言いませんが、保守系の言論人やネットメディアで活躍する方々には、国益の視点から是非とも「性の多様性」を認める声を大きくして欲しいと思います。

もちろん、個人的に「パターンⅣ　男性Ｂ ａｎｄ 女性Ｂ」を理想とし、その生き方を目指し、一生実現できた方は立派だと思います。明智光秀は大名になった後も妾を作らず、一人の妻だけを愛し続けたのだとか。他の戦国大名と比較して明智光秀の行動が不思議でなりませんでしたが、ヒトには本能的に複数の異性を求める個体（Ａ）と、一人の相手だけを求める個体（Ｂ）がいると知り納得できました。

●男の浮気と女の浮気は違うけれど

ちなみに、竹内久美子氏によると、男性が婚外女性と性行為を行った時の配偶者（妻）のデメリットと、女性が婚外男性と性行為を行った時の配偶者（夫）のデメリットは、生物学的には全く違うそうです。なぜなら、婚外性行為で女性が妊娠した場合、前者は「よそにも子どもができた」だけなので、その女にパートナーがいれば、彼女が「この子はあなたに○○が似てるわね」とパートナーを騙すのに成功すれば被害なし、もし、その子に養育費をしっかり払ったとしても夫の収入の取り分が減るだけです。とりわけ日本は婚外養育費が低額（一般的に1万～5万円程度）な上に、それさえまともに支払う男性が3割を割る「クズ男」天国なので、妻にとって夫の浮気は大して問題ではないのです。ただし

『動物が教えてくれるＬＯＶＥ戦略』（竹内久美子著　２０２０年ビジネス社）によると、「心の浮気」には女性の方が嫉妬するのだとか。心が向こう側に行ってしまうと二度と自分の元に帰ってこないかもしれず「体の浮気」よりも収入配分が、より危機的になるからかもしれません。

これに対し、妻が他の男性との性行為で妊娠した場合は、完全に「托卵《たくらん》（自分の子ではないのに、その子を育てる労力を搾取される）」になります。

そう考えると、妻だけが婚姻外性行為を禁じた江戸時代の武家の在りようにも、生物学的な正当性は多少ありました。とはいえ、現代は、様々な避妊方法がある一方、ＤＮＡ検査により托卵を見破れる時代です。嫉妬心などの感情が進歩するのに時間はかかるでしょうが、ここは「男らしく（笑）」、男女平等を主張すべきと考えます。

第6章　今日も学校は犯罪だらけ

日本は治安の良い国として有名です。NUMBEOという世界の様々な統計を集めているデータベースにより作成されたランキングでは、1位カタール、2位UAE、3位台湾、4位マン島、5位オマーン、6位香港、7位アルメニア、8位スイス、に続き、9位でギリギリのベスト10入りですが、それでもドイツ43位、カナダ61位、イタリア72位、イギリス77位、アメリカ87位、フランス102位と比較すれば、G7の中では断トツに治安の良い国です。

(https://www.numbeo.com/crime/rankings_by_country.jsp)

そんな中、毎日のように犯罪が行われ、日々隠蔽されているのが学校です。本章では、この現実を見ていきましょう。

●犯罪者をかばう教員達

今日もどこかの学校で犯罪が行われ、左翼思想に染まった学校関係者は「加害者の人権」「加害者の未来」などを盾にして、犯罪を隠蔽しています。いじめ被害者が凍死した「旭川女子中学生いじめ凍死事件」はその典型です。

この事件は、入学当初からいじめは始まり、2019年4月から6月にかけて合計4回、被害者の母親が担任教師にいじめ調査を依頼したのですが、担任は「本当に仲のいい友達です」と返答し、対応する姿勢はみせませんでした。実態は加害者10人前後だったのですが、それを知った教頭は、

「10人の加害者の未来と、1人の被害者の未来、どっちが大切ですか。10人ですよ。1人のために10人の未来をつぶしていいんですか。どっちが将来の日本のためになりますか。もう一度、冷静に考えてみて下さい」

といい、犯罪を知りながらも解決しない姿勢を明らかにしました。

週刊文春によると、当時の校長は被害者が亡くなった後でさえ、

「何でもかんでも、イジメとは言えない」

「当然悪いことではあるので、指導はしていました。今回、（被害者名）さんが亡くなった事と関連があると言いたいんですか？　それはないんじゃないですか」

「子供は失敗する存在です。そうやって成長していくんだし、それをしっかり乗り越えてかなきゃいけない」

と発言したそうです。

いじめ被害者は、皆の前で自慰を強いられ、それをLineなどのネットで流されました。

これは明らかに犯罪です。しかし、明確な犯罪すら「いじめ」に該当しないのが、いまだに公立学校の実態なのです。

●インターネットが明かす校内犯罪

北海道旭川市のような中核都市（人口33万人）でさえ、こうして校内犯罪者をかばうのが学校の実態です。6歳から延々と左翼に洗脳され、その自覚さえない教員達が仕切ると「児童の人権」「生徒の未来」を持ち出せば、あらゆる犯罪を隠蔽できると考えているのでしょう。

しかし、文部科学省の「建前」は変わりました。

そのきっかけになったのが、「大津市中２いじめ自殺事件」でした。この事件は２０１1年10月11日に大津市立皇子山中学校の２年生男子生徒が飛び降り自殺をして明らかになった少年犯罪です。加害者の中心は３名の男子生徒で、彼らは体育館で手足を鉢巻きで縛り、口を粘着テープで塞ぐなど卑劣な犯罪行為を行っていました。

被害者の自殺後も加害者らは自殺した生徒の顔写真に穴を開けたり落書きをしたりしていましたが、学校側はいじめの事実はなく、原因は家庭環境との見解を示し、少年犯罪を隠蔽しようとしました。担任教師もこの流れに乗って、自殺後の保護者説明会を欠席し、遺族への謝罪さえ行いませんでした。また、学校は生徒にアンケートを実施しましたが、結果を公表せず、いじめと自殺の関係は不明としていたのです（そのアンケートには集団リンチや、先生もいじめを見て笑っていた、などの目撃証言が記されていました）。

こういう時は、加害者に事情聴取をするのが最低限のモラルだと考えますが、学校関係者は「加害者の人権」を盾にして、少年犯罪者の個別の事情聴取は一切行いませんでした。

また、遺族は被害者の自殺後、３度に亘って暴行事件として滋賀県警に被害届を提出しましたが、県警は「被害者が自殺しているため受理できない」と、まともに取り合いませんでした。

しかし２０１１年にはインターネットが普及していたお陰で、学校の犯罪隠蔽やそれを支持する大津市教育委員会、滋賀県警察に全国から非難の声が上がりました。この流れを受けて大津市長は、第三者調査委員会を設立し、実態解明に向けた調査を依頼しました。県警も「暴行」「恐喝」「強要」「窃盗」「脅迫」「器物破損」の６つの容疑で「告訴状」を受理しました。

世の中の圧力がなければ学校も教育委員会も警察も、「いじめ」という名の校内犯罪を隠蔽しようとするけれど、圧力がかかれば手の平を返して被害者のために動き出す。これが現実です。

●「いじめ」を犯罪と認めた文部科学省と警察庁

私は、滋賀県警や大津市教育委員会の行動をいつも通りの「お役所仕事」と感じましたが、メディアは、彼らの行動が異常なように報道しました。そのお陰で「大津市中2いじめ自殺事件」は世論を騒がせ、政治家を動かし2013年6月28日には「いじめ防止対策推進法」が公布されました。

法の中身までは、まともに報道されないためか、隠蔽した教師や役人は罪に問われない残念な法律でしたが、それでも法ができた事は良かったと考えます。なぜなら、この流れを受けて文部科学省は、法律ができる4カ月前の2013年5月16日で「早期に警察へ相談・通報すべきいじめ事案について（通知）」を各自治体の首長と教育委員会に出しているからです。通知文は次の通りです。

「犯罪行為として取り扱われるべきと認められるときは、被害児童生徒を徹底して守り通すという観点から、学校においてはためらうことなく早期に警察に相談し、警察と連携した対応を取ることが重要。

いじめられている児童生徒の生命、身体又は財産に重大な被害が生じるような場合には、直ちに警察に通報することが必要であることを周知いたしました。」


しかも文書には別添で「いじめ」が刑法に該当すると明記しています（章末表参照）。

(https://www.mext.go.jp/a_menu/shotou/seitoshidou/1335369.htm より)


この文書の何が素晴らしいかと言えば、次にマスコミが大騒ぎしそうな事件が起きた時に、文部科学省が、

「このような少年犯罪が起きた際には、しっかりと警察に届けるように指示をしていました。にもかかわらず、○○市教育委員会及び○○学校長がこのような対処しかできなかった事は極めて遺憾です」

と大臣、局長、課長といった責任者がマスコミ対応できる点です。

一度、こういった対処をされたら、少なくとも教育委員会は本気でいじめ対処をするで

図表10　警察が取り扱った校内暴力事件の状況（令和2年）

行為者の学識別					総数
区分		小学生	中学生	高校生	
事件数（件）		106	307	94	507
	うち教師に対する暴力事件	22	142	10	174
検挙・補導人員（人）		118	334	97	549
	うち教師に対する暴力事件	21	142	10	173
被害者数（人）		109	322	94	525
	うち教師に対する暴力事件	23	156	10	189

しょう。なぜなら、地方自治体は、国に梯子を外されて初めて本気になる集団だからです。法的定義が変わっただけでは彼らは動きません。

また、警察もこれを受けたのか、校内暴力事件のデータを警察庁のHPでオープンにするようになりました。これは、極めて大きな進歩です。ただ、1年間で、小学校106件、中学校307件、高校94件しか校内暴力事件が起きなかった。この数値は信用できる人がどれだけいるでしょう。全国には概ね2万の小学校、1万の中学校、5千の高校が存在します。つまり、0・5％の小学校、3％の中学校、2％の高校でしか暴力事件が起きていないと、このデータは示しているのです。

校内で「いじめ」という名の犯罪が起きてい

る事実を文部科学省や警察庁が認めたのは、進歩ではありますが、こんなデタラメな数字が正式データになる状態で止まってはなりません（図表10）。

●被害者より学校からの要請で動く警察現場

今日もどこかの学校で犯罪が行われているけれども警察が動く気配さえない。建前は変わりましたが、まだまだこれが日本の現実です。日本では明治時代に学校ができてから一貫して、教育委員会や校長からの要請がないと警察は学校には入ってこなかったのです。

明治国家ができた頃は、日本が模範とした欧米諸国でも学校の「いじめ」を犯罪扱いしていませんでしたが、ヨーロッパでは原住民（白人）の中高生と移民（多くは中東地域）中高生のいざこざが死を招く危険性が出てきたことで学校には警察は入らない「隠れたルール」は消えました。アメリカでは高校で薬物が取引される事件が起きたからか、アメリカの一部の高校でスクールポリスが常設されました。韓国でもアメリカを真似てスクールポリスを導入しようという意見が強くなっています。

これらの動きと比較すると、日本はまだまだ遅れています。スクールポリスの導入も検討して欲しいところですが、まずは市町村が実施する教員研修や都道府県警察が実施する

警察官研修で、

1「いじめ」の多くは犯罪であり、「犯罪」の被害者はすぐに110番しても良いこと

2警察は、110番があった時は教育委員会や校長の了解なしに学校に立ち入る権限があること

3警察が被害者の110番を無視した時や、学校が警察の立ち入りを拒否した時は、警察官や教員が懲戒処分を受ける可能性があること

をしっかりと教育して欲しいと思います。もちろん、実態を1~3に近づけることがより重要ですが。

その上で、保護者会や授業でこの法的事実を児童生徒やPTAに知らせれば、「犯罪だらけ」の学校の治安は今よりは改善されるはずです。

10年前ならば、犯罪の証拠をつかむのは困難だったでしょうが、録音・録画が可能なスマートフォンが普及した今なら証拠獲得は困難ではありません。学校に入ることに躊躇する警官もいるかもしれませんが、利権が絡まない限り役人は世論に敏感です（正確に言うと世論に敏感な政治家にゴマをすります）。

文科省は「いじめ」の定義を「校内外を問わない」としていますが、それ以前に犯罪の

成立は「校内外を問わない」のですから。学校で犯罪が起きたら、警察官が教師に遠慮せずに立ち入る、日本が早くそんな当たり前の法治国家になる事を期待しています。

●「体罰」という名の犯罪

校内犯罪は「いじめ」だけではありません。教師により「体罰」という名の暴行が、今日もどこかで行われています。こちらは「いじめ」と異なり、暴行の加害者に自責の念がないだけより悪質です。

もう一度、図表10「警察が取り扱った校内暴力事件の状況（令和2年）」をご覧ください。この表には「うち教師に対する暴力事件」として、小学校22、中学校142、高校10と記されています。私は、これを見て警察庁には申し訳ないけれど「怒り」を覚えました。

なぜなら、「教師に対する暴力事件」の何十倍、何百倍、何千倍という「教師による生徒に対する暴力事件」すなわち「体罰」が、犯罪の自覚もなく行われ、隠蔽という意識もないままに時間が過ぎていったからです。今も無駄に時間が過ぎていくのが日本の現実だからです。

40代以上の方なら、授業中の体罰が記憶に残っているはずです。体罰が禁止されていることは、今の教育関係者なら誰でも知っています。そのため、今では主な犯罪の場は授業から部活動へと移動しましたが、消えた訳ではありません。

犯罪がなくならないのは、体罰を禁じるのが条文但し書きに過ぎないため、その意味の大きさを知る教育関係者が少ないからです。

学校教育法第11条

校長及び教員は、教育上必要があると認めるときは、監督庁の定めるところにより、児童、生徒及び学生に懲戒を加えることができる。**但し、体罰を加えることはできない。**

この条文は一般法（刑法など）に対する特別法に該当します。つまり、教員の行為にそのまま刑法を当てはめると児童・生徒に対する侮辱罪や名誉棄損罪に該当する危険性のある「指導」も「教育上必要があると認め」られ、「監督庁の定める」範囲内であれば犯罪は成立しないのです。

これを理解すると「但し、体罰を加えることはできない」の意味は明確になります。体罰、すなわち教員の暴力行為は、原点に戻って刑法など他の法律がそのまま適用されるのです。

刑法には暴行罪を以下のように規定しています。

刑法第２０８条
暴行を加えた者が人を傷害するに至らなかったときは、２年以下の懲役若しくは30万円以下の罰金又は拘留若しくは科料に処する。

暴行が、正当業務行為（刑法第35条）に該当するときには違法性が阻却されるので犯罪は成立しません。正当業務行為になる典型例としてボクシングなどのスポーツが挙げられますが、学校教育法第11条の但し書は、教師の体罰は正当業務に該当しないと釘を刺しているのです。

●少なくない傷害罪

ところが、小中高だけでなく学部によっては大学の教員まで体罰はゼロではないようです。我々は、犯罪と気づかなかっただけで、犯行現場を見ていたのです。

私自身は小学校・中学校時代に（たった一人の教員を除き）担任教師全員と教科担当者全員から体罰という名の暴力を振るわれました。それだけではありません。小学校５、６年の時は、毎月、プラスチックの定規でホホが赤く腫れあがるほど殴られていたので、すぐにクリニックに駆け込んで診断書を書いてもらえば「傷害罪」が成立したはずです。他の児童・生徒の中には、教師に殴られ鼻血を出していた人もいたので、即時に警察官が来てくれていれば、診断書なしで「傷害罪」が成立した事例もありました。

第２０４条
人の身体を傷害した者は、15年以下の懲役又は50万円以下の罰金に処する。

「傷害」をどう解するかについては争いがあり、身体の完全性を害することであるとする「完全性毀損説」と、生理機能や健康状態を害することであるとする「生理機能障害説」が対立しています。

人の毛髪を切った場合に、完全性毀損説では傷害になりますが、生理機能障害説では傷害ではありません。「髪の毛を染めてはいけない」という校則を持つ公立学校は今でも少なくありませんが、昭和時代や平成時代初期には、生徒の前で染めた毛をハサミで切る教員がいました。完全性毀損説に立てば、彼（彼女）は、①多くの人の面前で、②罪の意識なく、③子供相手に傷害の罪を犯したのですから、執行猶予なしの懲役刑が妥当と考えます。

しかし、この行為で刑務所に入った教員はもちろん、クビになった教員さえいません。クビどころか、マスコミが騒がなければ懲戒処分にもなりません。

「髪の毛切り」ほど大勢の証人がいる訳ではありませんが、暴行（体罰）の被害者に鼻血、めまい、吐き気など生じた場合「傷害」が成立することに異論はありません。

●「体罰＝犯罪」と教員に教えない文部科学省

行政系公務員の卒業した学部は法学部が多数派ですから、先に示した「学校教育法に認められていない体罰は一般法に戻って暴行になる」という理屈は行政マンなら分かるはずです。ところが、文部科学省は「体罰」が社会問題になりだした平成末期になっても、それを学校現場に知らせようとはしませんでした。下記は、「体罰」を止めるポーズを見せた文科省が、都道府県知事や政令指定都市市長及び各教育委員会教育長あてに出した通知文です。

『体罰禁止の徹底及び体罰に係る実態把握について（依頼）』　平成25年1月23日（24文科初第1073号）

「昨年末、部活動中の体罰が背景にあると考えられる高校生の自殺事案が発生するなど、教職員による児童生徒への体罰の状況について、文部科学省としては、大変深刻に受け止めております。

体罰は、学校教育法で禁止されている、決して許されない行為です。平成19年2月5日初等中等教育局長通知「問題行動を起こす児童生徒に対する指導について（通知）」（18文科第1019号）においても示しているとおり、校長及び教員（以下「教員等」という。）は、児童生徒への指導に当たり、いかなる場合においても、身体に対する侵害（殴る、蹴る等）、肉体的苦痛を与える懲戒（正座・直立等特定の姿勢を長時間保持させる等）である体罰を行ってはなりません。

また、教員等は部活動の指導に当たり、いわゆる勝利至上主義に偏り、体罰を厳しい指導として正当化することは誤りであるという認識を持たなければなりません。

　貴職におかれましても、この問題の重要性を改めて認識し、都道府県・指定都市教育委員会にあっては所管の学校及び域内の市区町村教育委員会等に対して、都道府県知事にあっては所轄の私立学校に対して、国立大学法人学長にあっては附属学校に対して、構造改革特別区域法第12条第１項の認定を受けた地方公共団体の長にあっては認可した学校に対し、体罰禁止の趣旨を周知徹底し、各学校の教員等の意識向上が図られるよう指導するとともに、体罰を行った教員等については厳正な対応をお願いします。

　あわせて、教員等と児童生徒、保護者の信頼関係の構築に努めるとともに、児童生徒や保護者が、体罰の訴えや教員等との関係の悩みを相談することができる体制を整備するようお願いします。

　また、体罰の実態について主体的に把握し、別紙のとおり文部科学省に対して報告していただきますようお願いします。」

「体罰禁止の徹底」と書きながら「体罰は犯罪」という事実を明記していません。それどころか、「いじめ」の通知と異なり、「児童生徒の生命又は身体の安全が脅かされているような場合には、直ちに警察に通報する」ようにという趣旨の文章も一言もありません。生徒が生徒を殴り身体の安全が脅かされている時は警察に通知すべきだが、教師が生徒を殴り生徒の身体の安全が脅かされても警察に通知する必要はない。文科省の二つの通知から、教育委員会や学校現場はこのように動くはずです。

なぜこんな不道徳な行いを文部科学省はできるのか。

それは彼らが「体罰が正しい」と信じる保守系政治家を意識したからと推測します。通知文の送付者は「文部科学省初等中等教育局長 布村幸彦」と「文部科学省スポーツ・青少年局長 久保公人」つまり役人ですが、万が一、この通知書が話題になったら文部科学大臣や他の保守系国会議員に文書をチェックされる。文書を受け取る市長や知事からバレる可能性もある。それを恐れて「体罰は犯罪」という事実を書けなかったのでしょう。

●学校現場に体罰は止められない

では、学校現場はどうでしょう。以下の理由から学校現場に体罰を排除しようとする空気は生まれそうにありません。

1 文科省も教育委員会も法構造を明かさないので「体罰は犯罪」だと知らない

2　高齢の教師ほど「体罰＝悪」という意識が低い
3　学校は他職場よりも年齢の上下意識が強く、校長・教頭が体罰をする高齢教師を止めにくい
4　主な体罰現場が授業中から部活動中に移った
5　部活動は教師も生徒も自主的活動という建前なので、教師の体罰がイヤなら部活動をやめろ、という意見が現場を被う

という事で、体罰によって、死亡や重度障害が起きた時だけニュースになり、朝の会議で校長が一言「気をつけてください」と述べて終了というのが、大多数の現場です。校長や教頭にすれば、いじめや体罰は、保護者から文句が来た時だけ対処すれば良い課題であり、現場から積極的に解決する問題ではないはずです。

●ブラック職場が暴力を生む

教員が他の職業と比較して犯罪者になりやすいという統計はありません。むしろ、警察のデータでは他の職種よりも犯罪者が少ない傾向にあります。しかし、ここまで述べてきたように、校内で犯罪を犯しても警察案件にすらならないのですから、このデータは全く

あてになりません。

ただ、警察事になるか否かはともかく、職業を問わずブラック企業の方が、社内暴力が多いという事は多くの人の経験値と合致すると思います。その意味で、近年、学校が教員にとって「ブラック企業になった」という世論には目を向けるべきです。

もちろんブラック企業と言っても世間が騒ぐほどではありません。その証拠にひと握りの優秀な教師は、学校から教育委員会事務局に引き上げられ、少なくない人がそこでの「大変な仕事」でメンタルをやられています。教育委員会事務局職員は、都道府県であれ、市区町村であれ普段、世間から「暇な仕事」と批判されがちな「地方自治体」の一ポストです。そんなポストでも学校より大変なのです。

はっきり言って、学校は「地方自治体の出先にしては忙しい職場」に過ぎません。行政マンは本庁職員が数割はいるので同僚から「本庁は多忙、出先の多くは暇」と聞いており、本庁に行くときは覚悟を決めていきます。しかし、教育委員会に引き上げられる教師は一握りのエリートで（教育委員会事務局を経ずとも校長になれます）、多くの人はどんな職場かを知りません。

多くの教員は、小学生、中学生、高校生、大学生を経てからの赴任学校教師と、6歳以降学校しか知らないのですから、マスコミが「学校はブラック企業になった」と騒いでくれると素直に信じてしまいます。それが「ストレス発散としての体罰」をどこかで許してしまう危険性につながるのではないでしょうか。

●最大のブラック要因は部活動

ただ、現代の教員が他の地方公務員と比較して可哀そうな職業なのは事実です。

それはサービス残業が制度化しているからです。昭和時代はサービス残業が常識だったので、最初から一定額の手当が織り込まれている教師は、地方公務員の中でも美味しい仕事でした。しかし、今はゼロになった訳ではありませんが、官公庁や大企業からサービス残業が減りました。ところが、教員の場合、最初から残業をしてもしなくても、普段の残業は教職調整額の中に含まれているので、「残業を減らそう」という空気もないし、残業しても残業代は制度として請求できません。

運動部は土日も練習する学校は少なくありません。さすがにこれをタダでは可哀そう過ぎると、「休日のときの部活動手当」が、各都道府県から出るようになりました。しかし最高額の東京都でさえ、日額４０００円と時給に換算すると最低時給よりも少額です。その部活動現場で暴行が頻繁に起きているのです。

スポーツ系の部活動で体罰が頻繁に起きるのは以下の理由からです。

1 その種の部活動をやりたくてやっている教師とやりたくないのに（事実上）押し付けられた教師がいる

2 前者は若い頃からスポーツが好きで、自分自身がその分野で普通に体罰を受けていた

3 後者は最低時給以下でやりたくもないスポーツをしなければならず、ストレスフルになる

4 部活動の中ではいまだに「先輩」「後輩」意識が強く、時に暴力が正当化される

2及び3で教師に「体罰」欲望が生まれ、4で自分の「体罰」が正当化される。

こうして、授業中の体罰が減少しても運動部内での体罰は残っているのです。

●部活動そのものを学校から消す文科省と日教組

文部科学省スポーツ庁は、ブラック企業化の要因である部活動問題を、地域移行することで解決すると決めました。方針は次の通りです。

・まず、休日の運動部活動から段階的に地域移行していくことを基本とする
・目標時期：令和5年度の開始から3年後の令和7年度末を目途
・平日の運動部活動の地域移行は、できるところから取り組むことが考えられ、地域の実情に応じた休日の地域移行の進捗状況等を検証し、更なる改革を推進
・地域におけるスポーツ機会の確保、生徒の多様なニーズに合った活動機会の充実等にも着実に取り組む
・地域のスポーツ団体等と学校との連携・協働の推進

●田舎でスポーツ指導できる人はいるのか？

都会の教育関係者はこの働きを喜んでいますが、田舎はそうでもありません。

「地域移管と言っても誰が教えるんだ。田舎にはバスケットやバレーボールができる大人なんて教師しかいない」

と嘆いています。しかし、少なくとも体罰問題は大幅に改善すると考えます。

なぜなら、同じ暴力でも、学校外なら本人や保護者が訴え、時に警察が動きやすいからです。被害者からの110番があっても学校関係者からの通報がない場合、学校に入るの

をためらう警察の姿勢こそが最大の問題ですが、警察が犯罪を止めやすくなるだけでも第一歩と言えるでしょう。

教職員の労働組合である日教組（日本教職員組合）も、運動部活動の地域移行には、財政支援など条件を付けながらも賛成しています。これは労働組合としては当然の姿勢です。しかし、教師にとってのブラック企業化や体罰問題は改善するとして、それにより発生する「貧しい家庭の子どもはスポーツに参加できない」という、より大きな問題をどうするつもりなのでしょう。

●「愛ある体罰」が残る？学校とスポーツ界

ここまで、「体罰＝悪」を前提に書いてきましたが、困ったことに「愛ある体罰」が存在します。親の躾《しつけ》としての「お尻ぺんぺん」には大抵その根底に愛情がありますし、昭和時代の体罰も教師の「愛情から」行われる事例も少なくありませんでした。高齢な保守系言論人に「体罰を認めろ」と主張する方が少なくないのは、体罰の多くがそのタイプだと信じているからでしょう。

運動部で体罰が頻発するのは「そこに愛がある」からと信じる人もいるでしょう。

しかし、多くの場合、それは教師への幻想です。令和時代の教員採用試験は、肉体系公務員（警察官、消防官、自衛官）を除いて最も合格しやすい公務員試験です。教員採用試験を受験するためには教員資格が必要ですが、大抵の場合、教育学部は同じ大学の中で難易度が高い訳ではありません（大卒の方には常識です）。

警察官は地域の治安を目指し、自衛官は国の安全保障に命を懸け、教師は愛情たっぷりで教え子の未来を夢見ている。これは理想です。実際、そういう方もいます。でも、

「未来が怪しい日本で、将来を考えれば公務員はまだマシかも。受かりそうなのは○○かな」

と思ってこれらの職業に就く人もいます。

行政系の国家公務員を全員「日本を再び立派な国にしたいと思いこの職業に就いた人」と信じ、地方公務員を全員「この○○県（または○○市）を再興したくて、この県で働いた人」と考える人はいません（多分）。

にもかかわらず、何故、特定の職種の方を日本人は信じるのでしょう。お人よし過ぎます。公務員の現場には「自分は権力を有するかも」と錯覚する場面が多数あります。自衛官や都会の警察官、税務署職員には、「だからこそ国民・住民に偉そうにするな」という

教育が行き届いています（その分、これらの職種は職場内の上下が厳しすぎるという噂もよく聞きますが）。

対して、田舎の市役所や警察官、教員には「自分は偉い」と勘違いしている職員が少なくありません。昭和時代に比較すれば随分マシになりましたが、「自分は偉い」と勘違いして生徒に平気で暴力を振るう教師も少なくないのです。体罰には「愛のある」体罰もあれば、愛情など欠片《かけら》もない体罰もあります。両方あれば、後者を前提に取り締まるのが法治国家の在り様です。

令和時代に暴行がよく起きる場所ですべき行政対処法は一つです。

「防犯カメラを置く」

これしかありません。教師のプライドが許さないのなら「いじめ」対策という建前でも良いので、防犯カメラを早々に学校に置いて欲しいものです。

●裁判所は「体罰」大好き？

防犯カメラで犯罪は減少してもゼロにはなりません。生徒間暴力「いじめ」も教師による暴行（体罰）もゼロにはならないでしょう。犯罪は警察と検察が動き、最後に刑事・民事で国民を守るのは裁判所です。ところが残念なことに、校内犯罪に警察・検察が動かないだけでなく、民事で訴えても教師の暴行に甘いのが現在の裁判所です。

大阪府生駒市の市立中学校で、次のような事例がありました。

学校で無理やり頭髪を染められた女子生徒及びその両親が、「生徒指導と称して生徒の頭髪を黒色に染色するのは体罰に該当する」と設置者（大阪市）に対して損害賠償を求めて提訴しました。

これに対し、大阪地裁は、

「女子生徒は本件染髪行為に同意し、これを受け入れていたと認められること、本件染髪行為の方法や態様を見ても、女子生徒の身体を拘束したり肉体的な苦痛を与えたりするものではなかったことが認められる。本件染髪行為は、教員の生徒に対する有形力の行使ではあっても、その趣旨・目的、方法・態様、継続時間などに照らし、教員が生徒に対して行うことが許される教育的指導の範囲を逸脱したものとはいえず、国家賠償法一条所定の違法性を認めることはできないとして、原告らの請求を棄却」

続く大阪高裁も、

「教育施設における規則や校則の教育性は、生徒一人一人の社会性、自立性、責任感を育成することにあるから、これに則った本件染髪行為は、生徒指導の観点から見てもとより正当なものであり、当時、頭髪の脱色や染色に関する本人の自発的な改善の見込みはなく、両親による指導・改善に期待することも困難であったという状況下で、本人の承諾の下に実施されたことに加え、その目的、態様、継続時間（1時間程度）等から判断して、教員が生徒に対して行うことが許される教育的指導の範囲を逸脱するものではなく、体罰に該当せず、違法性は認められないとして、控訴人（一審原告）の訴えを棄却」

個人的には髪の毛を染める中学生やそれを許す家庭は好きではありませんが、それと教師による染髪を認めるか否かは話が別です。髪の毛の色は民族によって異なりますし、日本人の中にも真っ黒な人もいれば茶色がかった髪の毛の人もいます。後者の生徒に黒色に染髪しろと「指導」する学校が問題になったこともありました。

私は「多様性を認めろ」と主張するリベラリストが本物ならば、こんな判例を許せるはずがないと考えますが、彼らの本質が左翼ならば、政権交代さえ暴力を使って良いと考える連中ですから、教師が生徒を殴って良いに決まっています。

体罰問題に声を上げない態度も、日本の自称リベラリストの多くが左翼の証拠ではないでしょうか。教育問題を語る人の多くは、日教組と仲良しなのだから当たり前か（笑）。

文科省が出したいじめ通知文書の添付資料

いじめの態様	刑罰法規及び事例	
ひどくぶつかられたり、叩かれたり、蹴られたりする。	暴行（刑法第208条）	第208条　暴行を加えた者が人を傷害するに至らなかったときは、2年以下の懲役若しくは30万円以下の罰金又は拘留若しくは科料に処する。 事例：同級生の腹を繰り返し殴ったり蹴ったりする。
	傷害（刑法第204条）	第204条　人の身体を傷害した者は、15年以下の懲役又は50万円以下の罰金に処する。 事例：顔面を殴打しあごの骨を折るケガを負わせる。
軽くぶつかられたり、遊ぶふりをして叩かれたり、蹴られたりする。	暴行（刑法第208条）	第208条　暴行を加えた者が人を傷害するに至らなかったときは、2年以下の懲役若しくは30万円以下の罰金又は拘留若しくは科料に処する。 事例：プロレスと称して同級生を押さえつけたり投げたりする。
嫌なことや恥ずかしいこと、危険なことをされたり、させられたりする。	強要（刑法第223条）	第223条　生命、身体、自由、名誉若しくは財産に対し害を加える旨を告知して脅迫し、又は暴行を用いて、人に義務のないことを行わせ、又は権利の行使を妨害した者は、3年以下の懲役に処する。 2　親族の生命、身体、自由、名誉又は財産に対し害を加える旨を告知して脅迫し、人に義務のないことを行わせ、又は権利の行使を妨害した者も、前項と同様とする。 3　前2項の罪の未遂は、罰する。 事例：断れば危害を加えると脅し、汚物を口にいれさせる。
	強制わいせつ（刑法第176条）	第176条　13歳以上の男女に対し、暴行又は脅迫を用いてわいせつな行為をした者は、6月以上10年以下の懲役に処する。13歳未満の男女に対し、わいせつな行為をした者も、同様とする。 事例：断れば危害を加えると脅し、性器を触る。

金品をたかられる。	恐喝（刑法第249条）	第249条　人を恐喝して財物を交付させた者は、10年以下の懲役に処する。 2　前項の方法により、財産上不法の利益を得、又は他人にこれを得させた者も、同項と同様とする。 事例：断れば危害を加えると脅し、現金等を巻き上げる。
金品を隠されたり、盗まれたり、壊されたり、捨てられたりする。	窃盗（刑法第235条）	第235条　他人の財物を窃取した者は、窃盗の罪とし、10年以下の懲役又は50万円以下の罰金に処する。 事例：教科書等の所持品を盗む。
	器物損壊等（刑法第261条）	第261条　前3条に規定するもの（公用文書等毀棄、私用文書等毀棄、建造物等損壊及び同致死傷）のほか、他人の物を損壊し、又は傷害した者は、3年以下の懲役又は30万円以下の罰金若しくは科料に処する。 事例：自転車を故意に破損させる。
冷やかしやからかい、悪口や脅し文句、嫌なことを言われる。	脅迫（刑法第222条）	第222条　生命、身体、自由、名誉又は財産に対し害を加える旨を告知して人を脅迫した者は、2年以下の懲役又は30万円以下の罰金に処する。 2　親族の生命、身体、自由、名誉又は財産に対し害を加える旨を告知して人を脅迫した者も、前項と同様とする。 事例：学校に来たら危害を加えると脅す。
	名誉毀損、侮辱（刑法第230条、231条）	第230条　公然と事実を摘示し、人の名誉を毀損した者は、その事実の有無にかかわらず、3年以下の懲役若しくは禁錮又は50万円以下の罰金に処する。 2　死者の名誉を毀損した者は、虚偽の事実を摘示することによってした場合でなければ、罰しない。 第231条　事実を摘示しなくても、公然と人を侮辱した者は、拘留又は科料に処する。 事例：校内や地域の壁や掲示板に実名を挙げて、「万引きをしていた」、気持ち悪い、うざい、などと悪口を書く。

パソコンや携帯電話等で、誹謗中傷や嫌なことをされる。	脅迫（刑法第222条）	第222条　生命、身体、自由、名誉又は財産に対し害を加える旨を告知して人を脅迫した者は、2年以下の懲役又は30万円以下の罰金に処する。 2　親族の生命、身体、自由、名誉又は財産に対し害を加える旨を告知して人を脅迫した者も、前項と同様とする。 事例：学校に来たら危害を加えると脅すメールを送る。
	名誉毀損、侮辱（刑法第230条、231条）	第230条　公然と事実を摘示し、人の名誉を毀損した者は、その事実の有無にかかわらず、3年以下の懲役若しくは禁錮又は50万円以下の罰金に処する。 2　死者の名誉を毀損した者は、虚偽の事実を摘示することによってした場合でなければ、罰しない。 第231条　事実を摘示しなくても、公然と人を侮辱した者は、拘留又は科料に処する。 事例：特定の人物を誹謗中傷するため、インターネット上のサイトに実名を挙げて「万引きをしていた」、気持ち悪い、うざい、などと悪口を書く。

第7章　老害政治のただし方

松本清張が『迷走地図』で使用したのが最初と言われる「老害」という言葉が、最近よく使われるようになりました。21世紀になっても「共産主義」「社会主義」といったイデオロギーを信じ、反日活動を生きがいとする左翼は老害の典型です。保守派サイドにも老害はあります。ただ、政治の世界は、大企業のように老人が直接支配するのではなく、老人受けする若手?が流行のようです。

本章では、そんな日本の老害を見ていきましょう。

●高額療養費制度の改正提案で騒いだ山本太郎氏

人が相手の意図を想像する時、多くは、自分と「同じレベル」「同じスタイル」であることを前提に考えてしまいます。左翼や右翼など極端なイデオロギーを信じる人は、とりわけその傾向が強いようです。それを実感したのが、2022年7月に財務省から提案された「高額療養費制度」の改正案でした。

中曽根政権が行った年金改悪(専業主婦の年金タダ食い)と竹下政権が行った消費税導入以降の日本の国家制度は、欧米諸国を上辺だけ真似たろくでもないモノだらけですが、それ以前に確立されていた医療制度は世界トップレベルの素晴らしい制度でした。そのお陰で、日本は病気になっても平気に生きていける社会でした。

「当然だ」と考える方も多いと思いますが、日本よりもはるかに豊かなアメリカ（１人当たりＧＤＰ１・５倍以上）では、毎年50万人前後が医療費を支払えなくて破産しています。左翼が好きなスウェーデンでは今回のパンデミックで、高齢者をコロナ医療の対象外にしました（人工呼吸器を使用しなかった）。

「貧乏人や老人に無駄な医療をするな」

これが欧米諸国の本音です。これらに比較すると日本の医療制度はなんと優しいのでしょう。しかし、どんな制度にも裏表があり、メリットとデメリットがあります。病人を誰一人見捨てない日本の医療システムを高く評価はしますが、「クズに優しすぎる」のが欠点です。そして、財務省から提案された「高額療養費制度の改正案」は、それを見直す第一歩になると期待するのですが、左翼達は例によって、

「貧乏人には死ねと言うのか」

と因縁をつけて騒ぎ出しました。

でも、記憶にない方も多いはずです。共産党も立憲民主党も高額療養費制度の改正について、大きな議論をしなかったのです。「貧乏人には死ねと言うのか」と騒いだのは、山

本太郎氏が率いる極左政党だけでした。

●高額療養費制度とは

高額療養費制度は、それを残すならば「保険医療」を全廃しても良いと思うほど重要な政策です。保険医療ほど日常的ではなく、ご存じない方もいるので概略を説明しておきましょう。

医師に行った際に、私達が自分で負担する金額は3割が基本です（高齢者は1～2割です）。これが保健医療制度ですが、医療技術は日々進歩しているので、大病を患うと医療費総額100万円、自己負担額30万円なんてことが珍しくありません。総額1000万円、自己負担額300万円になる可能性だってあります。

そんな時に患者を助けてくれるのが高額療養費制度です。年収によって月々払える医療費の上限を定めて、それ以上かかった時は健康保険や国民健康保険が負担してくれるのです。具体的には図表11及び12の通りです。

（厚生労働省保健局「高額療養費制度を利用される皆さまへ（pdf）」より）

図表11　高額療養費の69歳以下の上限額

	適用区分	ひと月の上限額（世帯ごと）
ア	年収約1,160万円～ 健保：標報83万円以上 国保：旧ただし書き所得901万円超	252,600円＋（医療費－842,000）×1％
イ	年収約770～約1,160万円 健保：標報53万～79万円 国保：旧ただし書き所得600万～901万円	167,400円＋（医療費－558,000）×1％
ウ	年収約370～約770万円 健保：標報28万～50万円 国保：旧ただし書き所得210万～600万円	80,100円＋（医療費－267,000）×1％
エ	～年収約370万円 健保：標報26万円以下 国保：旧ただし書き所得210万円以下	57,600円
オ	住民税非課税者	35,400円

●騒ぐはずの知事は騒がない

財務省の高額医療制度の改正案は、自営業の方々が入る国民健康保険に加入している人に高額医療が発生した場合、都道府県が３／４、国が１／４負担している現在の制度を国負担ゼロにしたい、つまり全額、都道府県が負担しろという提案でした。

提案根拠は「２０４０年を見据えた社会保障の将来見通し（概要版）」（内閣官房・内閣府・財務省・厚生労働省）によると２０４０年の医療費は２０１８年の１・８倍になるので、

図表12　高額療養費の70歳以上の上限額

適用区分		ひと月の上限額 外来（個人ごと）	ひと月の上限額 （世帯ごと）
現役並み	年収約1,160万円～ 標報83万円以上/課税所得690万円以上	252,600円＋（医療費－842,000）×1％	
現役並み	年収約770万円～約1,160万円 標報53万円以上/課税所得380万円以上	167,400円＋（医療費－558,000）×1％	
現役並み	年収約370万円～約770万円 標報28万円以上/課税所得145万円以上	80,100円＋（医療費－267,000）×1％	
一般	年収156万～約370万円 標報26万円以下 課税所得145万円未満等	18,000円 〔年14万4千円〕	57,600円
住民税非課税等	Ⅱ 住民税非課税世帯	8,000円	24,600円
住民税非課税等	Ⅰ 住民税非課税世帯 （年金収入80万円以下など）	8,000円	15,000円

（平成30年8月診療分5））

国の加重な負担は避けるべきという考えです。国も都道府県も財源は税金ですから、ここで止まれば国民の生活に直接的な影響はありません。

なので、都道府県知事達が「俺たちだけに負担させるな」と大騒ぎするなら分かりますが、彼らは騒ぎませんでした。知事や市長などの首長が騒ぐのは、自治体が騒いでも国の政策がひっくり返らないようになってから、いつも「後の祭り」なってからです。そんな負け戦《いくさ》の方が「首長＝住民思いの正義の味方」に見えて票になるからでしょう。現段階で、全国的に有名な知事が騒ぎ、財務省提案が潰れようものなら税務省や他省庁に「江戸の仇を長崎で討たれ」（高額医療と関係のない分野の支援金削除など）、利権支持者の支援が無くなり、都道府県民の人気が落ちるだけなので、全く騒ぎがないのです。

●財務省提案を制度改正のきっかけにしよう

では、今回の財務省提案は「改正」でしょうか、「改悪」でしょうか。私は「改正」であり、これをきっかけにして日本の医療費負担システムをもっと改正していって欲しいと考えます。というのは現行の医療費負担システムは「障碍者に厳しく」「クズに優しすぎる」からです。

当たり前ですが、病気を治すにはお金がかかります。人が平等に生まれ、平等に働き、平等に分け前にありつける。共産主義者が妄想するような社会が存在するなら、その社会では医療費も皆で負担すべきでしょう。

しかし、現実は違います。親の経済力も教育力も違うし、働かなくても配当金、利子、家賃で食べられる人、真面目に働く人、貧しいのに働かない人など様々な方がいて、生涯所得にも大きな格差があります。そして、現代社会には「自業自得で病気になる人」が大勢います。生活習慣病です。

その名の通り、病気になった人の生活習慣こそが、病気の最大要因なのです。第3章で述べましたが、今では貧しい人の方が19世紀の金持ちのような生活をしており、糖尿病をはじめとした生活習慣病になりやすいのです。しかし、現制度では彼らにかかる医療費は、生活習慣病に気をつけている健康な人達が中心になって負担することになります。

サラリーマンの健康保険の場合、保険組合が負担する高額医療費の財源は、そこに加入する人々が支払う保険料です。しかし、今回、財務省が見直そうとする国民健康保険の財源は保険料だけではありません。保険料＋税金なのです。

つまり、サラリーマンが医者にかかった時の医療費は、原因が何であれサラリーマンだけで負担するのに、自営業者が「ダメな暮らし」をした結果、生活習慣病になった時の医療費は、サラリーマンを含む国民全員の税金で負担しているのです。

これが「正しい」のでしょうか。そんなはずがありません。病気には本人に全く責任のないモノもあれば、１００％本人の責任のモノもあります。しかし、どの場合も3割の自己負担を強い、一定額以上の医療費は保険が代替してくれる。これが今の制度です。

①、②、③の場合を想像してください。私は①は全額を社会保険料ではなく税金で負担すべきだし、②は社会保険料の3割負担までは妥当だが高額医療制度を適用させるべきではない、③は10割自己負担が妥当と考えます。

①生まれた時から障碍があり、その障碍と付き合って生きるには、生涯ずっと医療が必要な場合

②幼い頃から肥満体だった人が、食べたいものを食べたいだけ食べて、運動を一切せず50代でⅡ型糖尿病になった場合

③元暴走族で中高年になってもあおり運転していた人が、違法運転中に交通事故を起こし一生入院になった場合

肥満体でなくても、運動をしていても、スポーツマンでもⅡ型糖尿病になる場合があるので、②は認定が困難ですし、議論の余地があるでしょうが、①と③は大多数の方が賛成ではないでしょうか。医療費は病因によって全額税負担から全額自己負担まで、妥当な負担区分は異なるはずです。

高齢化が世界一進む日本で、医療費は巨大な財政負担になっているのにその議論さえで

きない。それが今の日本です。自分達の払う額が少なければ財源なんてどうでも良い。それが高齢者の本音かもしれません。だとしたら、これは典型的な「老害」です。こんな時こそ左翼に騒いで欲しいのですが、高齢者だらけで反日活動にしか興味のない彼らは、自分の医療費負担が1割ならどうでも良いのかもしれません。

●若者に人気の吉祥寺が中国人に売られる

東京の「吉祥寺」という街をご存じでしょうか?

首都圏に住む方には常識ですが、「吉祥寺」は若者が住みたがる街トップ3の常連です。そんな若者の街、吉祥寺の駅前一等地が中国系企業のモノになりました。

2022年10月に長渕剛氏がコンサートで「北海道を外国人に売るな」と語り議論になりました。彼の姿勢は素晴らしいと思いますが、日本の不動産取引の実態はもっと悲惨です。東京の一等地が次々と中国人に買われているのです。

吉祥寺が人気の理由は様々ですが「井の頭公園があり緑が多い」「都心、新宿、渋谷へすべて電車1本で行ける」「外食産業が盛ん」「ヨドバシカメラ、ドン・キホーテなど大規模商業施設が充実している」など、挙げればきりがありません。全国的に有名な東京女子大と、故安倍元総理が通っていたことで有名になった成蹊大学がある街でもあります。東京には全国的に有名な大学が数多くありますが、複数の有名大学がある街はさほどありません。

付近に住む著名人も多く、元総理の菅直人氏はこの街を選挙区にしていますし、漫画家の楳図かずお氏、北条司氏などが住み、作家や芸能人は数え切れません。

そんな街、吉祥寺が外国人に支配されかねないのです。

●左翼老人が支配する武蔵野市

有名な街「吉祥寺」は、全国的に無名だった東京都武蔵野市の一エリアに過ぎません。そんな無名だった武蔵野市は、２０２１年末に外国人投票権問題で世間を騒がせ一躍有名になりました。吉祥寺を外国人と左翼が支配する街になりかねない提案をしたのが、高齢者のアイドル、武蔵野市長の松下玲子氏でした。武蔵野市住民の平均年齢は42歳で都内平均と同じですが、大学生が平均年齢を引き下げているため、地域政治に関心のある住民は高齢者ばかりです。また、武蔵野市は都内市町村の中で平均所得が一番高い自治体でもあります。つまり小金持ちの高齢者が仕切るのが武蔵野市の特色なのです。

そして、不思議と小金持ちの高齢者に多いのが左翼です。

私も吉祥寺に事務所を持つ身なので、高齢者達が武蔵野市長選挙で松下玲子氏を応援する姿を何度も見ました。その結果、松下玲子氏は2021年の選挙に圧勝しました（松下玲子氏　34096票、鹿野晃氏　16430票、深田貴美子氏　7025票）。彼女を推薦したのは、日本共産党、立憲民主党、社民党、れいわ新選組及び地域の極左勢力です。完敗した鹿野晃氏を推薦したのが自民党、公明党、東京維新の会でした。見事なまでに分かりやすい「左翼vs非左翼」の図で、左翼が圧勝したのでした。日本共産党&立憲民主党が自公+維新に倍以上の差をつけて勝つ。若者に大人気の吉祥寺は、そんな異常な自治体、東京都武蔵野市の一地域でもあるのです。

●外国人投票権は売国の第一歩

2021年秋に当選した松下玲子氏が、真っ先にやろうとしたのが外国人投票権の実現でした。

外国人に投票権を認める自治体は既に存在しますが、武蔵野市が問題になったのは、投票権の獲得要件を日本人と同様、「武蔵野市に3か月以上居住している18歳以上」とした点です。

　これに自民党の長島昭久衆議院議員や日本維新の会の石井苗子参議院議員が待ったをかけます。彼らは外国人の投票権を否定した訳ではありません。日本人と同じく市に3カ月以上居住している外国人に対しても投票権を与えるという点がおかしいと指摘したのです。

　東京都内の一自治体の条例案の賛否に世論は騒ぎだし、条例案を肯定する左翼達は、反対する人を「レイシスト」とまで言いました。反日活動しかできなくなった彼らこそ日本人を差別する「レイシスト」です。幸い、武蔵野市が提出した条例案は否決されたので良かったのですが、左翼や売国奴による自治体売却は、今後も起こると考えるので日本人と同じ要件にする危険性を明らかにしておきます（この案は一度否定されましたが、松下玲子氏は再提出するのではないかといわれています）。

　日本人が一つの街に3カ月だけ住む例は多くありません。それゆえ「3か月以上居住している18歳以上」という要件は、「これからも、この街に住むであろう人々」を基準にしただけです。

　しかし、外国人を同要件にすると意味は全く異なります。日本に3カ月滞在できる外国人は山のようにいるため「3か月以上居住している18歳以上」の外国人に住民投票権を与えると、他国が国策として日本の自治体の住民投票は思うままに操れてしまうのです。

外務省（出入国在留管理庁）のＨＰが明示していますが、３カ月以上日本に在留できる外国人は、

「外交官など公用で日本に在留する人々」「大学教授等」「芸術家」「外国の宗教団体から派遣される宣教師」「ジャーナリスト」「医師など医療関係者」「会計専門家」といった代表的な在留資格者だけに留まりません。興行目的の俳優、歌手、ダンサー、プロスポーツ選手。今後、大量な移民が予測される介護士、外国料理の調理師、フリーターが嫌がる仕事を押し付けられる「技能実習生」など、日本に滞在する人々はどんな理由であれ３カ月以上の滞在が可能です。

最も恐ろしいのは観光目的の短期滞在ビザが90日という点です。28日しかない２月を挟めば、観光目的でも３カ月の滞在が可能ですし、理由があれば延長も可能です。住民投票日をいつにするかは自治体の首長に権限があります。彼（彼女）が独裁国家と人脈的に繋がっているなら、投票日と観光日程を調整さえすれば、どれほど反日的な条例でも（違法でない限り）通すことができてしまう。それこそが、武蔵野市条例案の恐ろしさでした。

●吉祥寺駅前を売り払った武蔵野市

左翼に牛耳られた武蔵野市が企んだのは、外国人参政権だけではありませんでした。松下玲子氏が当選した直後に何の緊急性もない吉祥寺駅前の一等地を、不当に安い金額で民間企業に売り渡したのでした。それだけでも、彼女と民間企業が何らかの繋がりがあると考えるのが普通です。とはいえ、ここまでなら田中角栄以降、常識になった「金権政治」に過ぎません。恐ろしいのは、翌年（２０２２年）中国（香港）系企業のRays Companyがその企業の経営権の取得を目的にＴＯＢを実施することを明らかにしたことでした。

吉祥寺の一等地が、市長選挙と（おそらく）不正な土地取引を経て、中国のモノになっていく。こんな日本沈没をどうすれば止められるのだろう、と悲しくなる事件でした。これについては、元武蔵野市長の土屋正忠氏は、武蔵野市の土地取引は不正だと裁判を起こしてくれたので是非とも頑張ってほしいところです。

●天才「小泉進次郎」化する岸田政権

政治の世界の「老害」は、民間企業のように老人がいつまでもトップから降りずに会社が時代遅れになる、といった分かりやすいスタイルではありません。松下玲子氏のように高齢者に受ける若手（とは言っても52歳ですが）を前面に出す傾向があり、その典型が民主党の党首交代や、かつて自民党が行った「小泉進次郎氏を前面に出した党アピール」でした。

岸田政権が設立した際、岸田総理は「新しい資本主義」というメッセージを提示しました。本書発刊時（2023年1月）には、岸田政権が成立して1年3カ月が経過していますが、その姿は未だ見えてきません。国民受けするメッセージだけは思いついたけれど、最初から中身など無かったのでしょうか。だとしたら、政権ごと（政党ごと？）「小泉化」しているのかもしれません。

中身はゼロだけれど、国民受けするメッセージを出し続ける。私は、小泉進次郎氏を天才的な政治家だと考えます。彼が天才である証拠とも言える「メッセージ」をいくつか提示しておきましょう。

「今のままではいけないと思います。だからこそ日本は今のままではいけないと思っている」

これは、2019年に開催された気候変動サミットに出席した際の、報道陣に語った発言です。

「反省しているんです。ただこれは私の問題だと思うが反省していると言いながら、反省している色が見えないと言う指摘には、私自身の問題と反省している」

こちらは、2020年2月に行われた新型コロナウイルス感染症の対策会議に欠席し、地元の新年会に参加した時の釈明答弁です。

●小泉氏の修辞技法

真面目に聞けば、同じことを繰り返し言っているだけです。このように、同義語や類語を反復させる修辞技法を「トートロジー」と呼びますが、彼は見事にそれを使っているのです。トートロジーは論理的には何の意味もありませんが、人の感情を動かすには有用です。例えば、

「腐っても鯛は鯛だ」といって、個人や組織の特徴に普遍的価値があると強調できる。

「ダチョウだって、鳥は鳥だ」と、例外的な性質があっても仲間であることを強調できる。

「うちはうち、よそはよそ」と自分達のアイデンティティを強調できる。

「あの人は、大変は大変だよ。でも～」と相手の状態や性質を理解していることを強調できる。

などトートロジーには様々な効果があります。

これからも自公政権は、アメリカの属国として、日本企業や日本人が不利益になることを次々と政策化していくでしょう。そんな時、かりに、

「この政策をアメリカへの売国的な政策と批判する人もいますが、そんなことはありません。アメリカは日本を『国は国として』しっかりと評価しているのです。世界の警察としての機能は完全ではありませんが『腐っても鯛は鯛』、日本はそんなアメリカの同盟国として仲良くやってきましたし、今後も仲良くやっていくべきです。とはいえ『うちはうち、よそはよそ』ですから、国内基準が日米で全く同じである必要はありません。今も大勢の移民を受け入れている『アメリカにはアメリカの大変さ』があるのですから、日本は同盟国として～」

こんな演説で国民を煙にまく小泉進次郎氏の未来を想像するだけで、彼が「天才」だと感じます。二世議員だらけの自民党は政党ごと「小泉進次郎化」しているし、そんな政党が政権を握り続ける日本は国ごと「小泉進次郎化」している気がします。その典型が、左

翼洗脳が行き渡った日本人に受ける「新しい資本主義」を提示しながら、中身を何一つ示せない岸田政権に感じるのですがいかがでしょう。

●日本に大切な「新しい民主主義」

日本に必要なのは「新しい資本主義」ではなく、「新しい民主主義」ではないか。以前から思っていましたが、安倍元総理の暗殺と、その後のマスコミの反応を見ているとそれを強く感じるようになりました。「新しい民主主義」とは、「余命1年を1票とする間接民主主義」＆「直接民主的要素である国民投票の増加」です。以下の日本の（ひいては世界の）民主主義を変えるべき理由を述べます。

●「1人1票」の根拠を葬った「日本国憲法9条」

ウソだらけの日本の歴史教育では普通選挙で民主主義が成立したように教えますが、欧米では王や貴族が独占していた権力を、それ以外の人（資本家、ブルジョアジー等）にも参政権が与えられた時からスタートしたと教えます。当然です。４章で述べたように女性に選挙権が与えられたのは男性よりも後ですから、自分に参政権が与えられた時が「民主主義の成立」なら、女性、すなわち人類の半数の方々からすれば「民主主義が成立したのは20世紀」となります。

第二次世界大戦の敗戦によって日本は民主主義国家になったと洗脳され続けている人には、「日本は1945年から民主主義国家になった」と言われても違和感はないかもしれませんが、「スイスは1993年から民主主義国家になった」と言われて違和感のない人は、過激なジェンダー運動家くらいでしょう。

何故、ブルジョアジーに参政権が与えられたかと言えば、彼らが払う税金で国家が運営されていたからです。こうしてできた市民社会を壊したのは庶民の命を使って行った戦争です。それにより命を懸けて戦争に参加した庶民にも参政権が与えられ市民社会は崩れ大衆社会が誕生したのでした、とここまでは社会学の常識です（左翼学者は、庶民に参政権が与えられた根拠は隠して講義しているようですが）。

同様に女性に参政権が与えられた根拠も戦争で、第一次世界大戦、第二次世界大戦で戦争が「国力勝負」になり、戦場の後ろで働く女性が大切になったからです。

しかし、日本は平和主義を主旨とする憲法の成立により2度と戦争をしない素晴らしい国に生まれ変わりました（と洗脳され続けています）。だったら、税金を1円も払わない庶民に選挙権を与える必要はありません。大衆社会の大前提である「1人1票」の根拠を「日本国憲法9条」が葬りさったのです。

●「余命1年1票」こそ21世紀の民主主義にふさわしい

では、市民社会が成立した当時の制限選挙が正しいのでしょうか。それも一案ですが、消費税が最大の税源となった現代に、制限選挙に戻す正当性はありません。何故なら、貧しい人も多額の税金を払っているからです。年収との比率で言えば、累進課税になっている所得税とは逆で、消費税は貧しい人の方がより高い割合で税負担しています（日本以外の国は、物によって税率を変えることで貧困者の負担率を減らしています。詳しくは拙著『税をむさぼる人々』をご参照ください）。

制限選挙に戻れないけれども進む道はあります。それが「余命1年1票」制度です。根拠は次の通りです。

（1）日本国憲法9条により戦争を放棄し、徴兵制を採用する可能性がゼロの日本国において「1人1票」の歴史的根拠はなくなった。

（2）平時だけを考えるならば、国家の運営資金を出す人だけに参政権を与える19世紀スタイルに戻ることにも正当性はあるが、主な税源が所得税から消費税になった現代では制限選挙等の根拠は、19世紀の頃ほど強い根拠ではない。

（3）国の主な役割が治安維持や外交（戦争を含む）から社会保障へと変化し、それと並行して財源が税金だけでは足らず、国債のウエイトが日常的に増えた。

※かつて国債は戦時の特別支出を補うモノでした。

（4）高齢者が、自身が払う可能性の低い財源（国債）で利益（年金や福祉）を獲得する一方で、若者は利益を獲得しないのに未来の負担を背負うという全体的な「不正義」が蔓延している。

（5）以上を考慮するならば、余命1年について1票の投票権を与えるのが21世紀先進国に蔓延する「不正義」を、最も有効に是正する政治システムである。

と考えます。とりわけ、①平均寿命が世界一長い国のくせに、②年金受給年齢が先進国トップレベルに若く、③1人当たりの国債負債額も世界トップレベルで、④少子高齢化が世界一進んでいる、わが国日本は、高齢者が若者を搾取する「不正義」が蔓延している国です。

だったら世界に先駆けて「余命1年1票」を行うべきではないでしょうか。

●一次元を卒業しよう

平成時代の日本政治のレベル低下に貢献したのが、ソ連崩壊後も共産主義・社会主義やそこから生まれる反日思想を捨てなかった左翼老人であることに異存はないと思います。しかし、彼らがマスコミ、文系学会、教育界などで強すぎたために、彼らを敵視する人達が自分自身を「右」と位置付けたのも、日本政治をいつまでも低レベルのままにした一因の気がします。

「左or右」のどちらが正しいか？という発想自体が、一次元で低レベルです。確かに19世紀末ならば経済的自由を是とする（資本主義）か、結果平等を目標とする社会主義（という妄想）のどちらが正しいかは、大きな意味を有したでしょう。

しかし、１９１７年にウラジーミル・レーニンがソビエト連邦を建国し、１９２４年のレーニンの死後にヨシフ・スターリンが政権を掌握して以降、さらには１９３２年に社会主義の亜種である国家社会主義ドイツ労働者党（ナチス）がドイツ国会の第一党となり政権を握って以降は、政治を左右でとらえることは不可能になりました。

それにもかかわらず、戦後の日本人を教育やマスメディアで、共産主義を左＝正義、彼らの亜種であるナチスやそれと同盟した戦前の日本を右＝悪、という単純思考（図表13）

図表13　一次元マトリクス

に洗脳し続けたことが、ソ連崩壊後の日本単独敗北を生んだのではないでしょうか。その意味では、彼らと同じく一次元で考慮した保守も共犯だったのかもしれません。現代政治は「資本家vs労働者」なんて単純な対立で説明できませんし、日本には最初からそんな対立は存在しません。

例えば、国際政治は「結果平等（共産主義）vs自由放任（ガチガチの資本主義）」に「グローバリズムvsナショナリズム」という対立を加えて二次元発想になるだけで（図表14）理解しやすくなります。

現在、ウクライナと戦争するプーチンは、レーニンに批判的ですが、スターリンを高く評価しています。「左翼vs非左翼」の一次元でしか発想できない人には理解しにくいプーチンも、二次元表を見ればすぐに理解できます。スターリンは、共産主義を世界に広めようとするグローバリズムから一国社会主義を目指すナショナリズムに方針を変えたからです（方針変更そのものは政治学の常識です）。スターリンがヒトラーに心を許したのも（最後は裏切りますが）、思想の類似性を感じたからでしょう。ロシアのプーチン、アメリカのトランプ大統領、日本の安倍総理が仲良しだった

図表14　二次元マトリクス

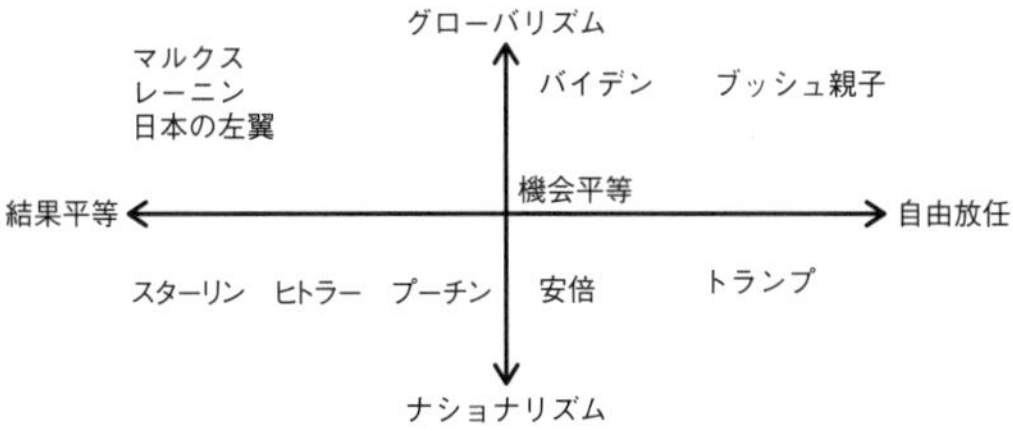

のも、行き過ぎたグローバリズムという共通の敵を有したからだとすれば氷解します。

もちろん政治は二次元ですらありません（図表15）。中国が政治方針を一国社会主義に留め、「経済自由化」を推進しても、共産党独裁国家である限り安易に友好国になるべきではありません。

●左翼とリベラルを見分けよう

図表14・図表15で考えれば、結果平等を求めナショナリズムを否定する日本の左翼と、機会平等を重視する本物のリベラルは、全く違う思想だと分かるはずですが、実際には、選挙を意識して左翼政治家はリベラルぶるし、言論で飯を食う人の多くはマスコミ受けするか否かしか興味がなさそうです。

そこで、本書では、左翼とリベラルを簡単に見分ける指

図表15　三次元マトリクス

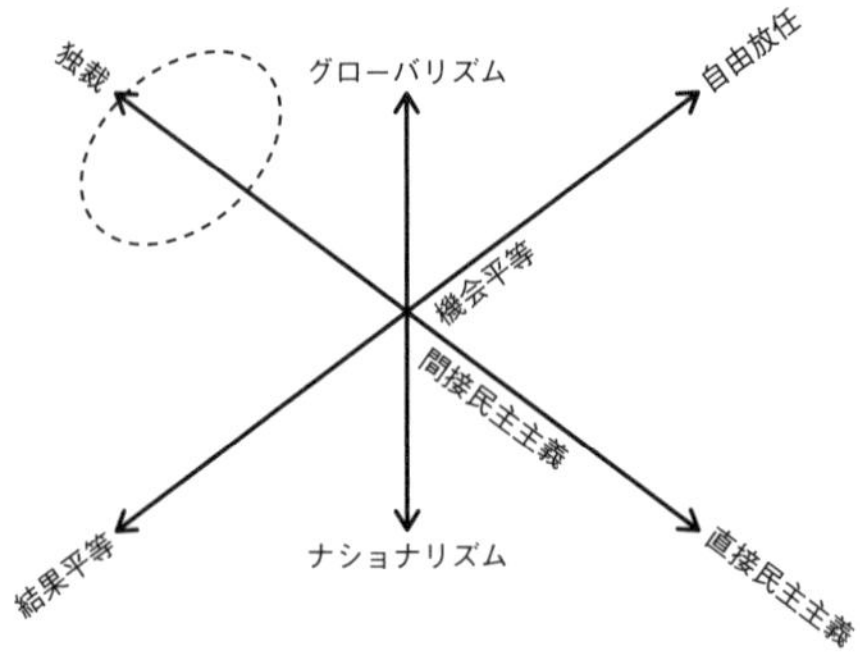

標をいくつか提示しました。

「相対的貧困が増えた」「格差社会になった」と騒ぐくせに、「無駄な消費やギャンブル（パチンコ）は止めましょう」と言わなければ、その自称リベラリストは100％反日左翼です。

普段、「ジェンダー、ジェンダー」と騒ぐくせに、ジェンダー平等の発想から専業主婦をNEETに位置付けたOECDの基準を無視して専業主婦を高く評価するなら、その自称リベラリストは9割がた左翼です。残りの1割はただのバカです。

LGBTで「性の多様化を」と騒ぐくせに、フリンをネタに政治家や芸能人の足を引っ張ろうとする人はリベラリストではありません。左翼かバカのどちらかです。

本書が左翼とリベラルを見分けるヒントになり、ピンクだらけの日本が少しでも真面目な社会になるのに役立てば幸いです。

森口 朗（もりぐち あきら）

教育評論家。中央教育文化研究所代表。元東京都職員。1995～2005年まで、都内公立学校に出向経験がある。著書に、『いじめの構造』『日教組』『戦後教育で失われたもの』『誰が「道徳」を殺すのか』（以上、新潮新書）、『なぜ日本の教育は間違うのか』『自治労の正体』『左翼老人』『売国保守』『税をむさぼる人々』『左翼商売』（以上、扶桑社新書）、『校内犯罪(いじめ)からわが子を守る法』（育鵬社）など。

扶桑社新書　453

左翼の害悪

発行日 2023年1月1日　初版第1刷発行

著　　者………森口 朗
発 行 人………小池 英彦
発 行 所………株式会社　扶桑社
〒105-8070　東京都港区芝浦1-1-1　浜松町ビルディング
電話　03-6368-8870(編集)
03-6368-8891(郵便室)

ＤＴＰ制作………株式会社　明昌堂

印刷・製本………中央精版印刷株式会社

Printed in Japan　ISBN978-4-594-09337-2